LES ÉDITIONS DES INTOUCHABLES
512, boul. Saint-Joseph Est, app. 1
Montréal (Québec)
H2J 1J9
Téléphone : 514 526-0770
Télécopieur : 514 529-7780
www.lesintouchables.com

DISTRIBUTION : PROLOGUE
1650, boul. Lionel-Bertrand
Boisbriand (Québec)
J7H 1N7
Téléphone : 450 434-0306
Télécopieur : 450 434-2627

Impression : Transcontinental
D'après l'idée de Marc Britan
Conception graphique : Jimmy Gagné, Studio C1C4
Mise en pages : Mathieu Giguère
Illustration de la couverture : Géraldine Charette
Révision : XXXXXXXXXXXX, XXXXXXXXXXXX
Correction : XXXXXXXXXXXX

Les Éditions des Intouchables bénéficient du soutien financier du
gouvernement du Québec — Programme de crédit d'impôt pour
l'édition de livres — Gestion SODEC et sont inscrites au Programme
de subvention globale du Conseil des Arts du Canada.

Nous reconnaissons l'aide financière du gouvernement du Canada
par l'entremise du Fonds du livre du Canada (FLC) pour nos activités
d'édition.

Société
de développement
des entreprises
culturelles
Québec ❖❖   Conseil des Arts   Canada Council
du Canada   for the Arts

Dépôt légal : 2011
Bibliothèque et Archives nationales du Québec
Bibliothèque nationale du Canada

ISBN : 978-2-89549-449-2

À l'aventure!
Jade Bérubé

Dans la même série
Nikki Pop, Le rêve d'Émily, roman, 2011.
Nikki Pop, Le premier contrat, roman, 2011.
Nikki Pop, À l'aventure !, roman, 2011.

Chez d'autres éditeurs
Komsomolets, Montréal, Marchand de feuilles, 2004.
Le rire des poissons, Montréal, Marchand de feuilles, 2008.

Jade Bérubé

D'après l'idée de Marc Britan

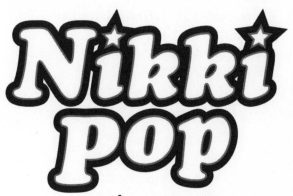

3. À l'aventure!

LES INTOUCHABLES

Pour Clarisse,
et pour tous les passionnés de musique

1.

Ça fait longtemps que j'avais pas vu la lune
À travers les étoiles
Je commençais à douter qu'y en avait une…
— Navet Confit, *Automne*

— On n'aurait jamais dû faire ça, Émily!!!

— Ben, voyons donc, relaxe.

— Je te le dis, ils vont le voir tout de suite que je suis pas musicienne.

— Ben noooooooon.

Émily donne de petits coups de pied dans l'immense valise Ralph Lauren posée par terre. Emma et elle sont toutes deux assises à la gare et attendent… leur train!

« Top wahouuu! »

Émily a convaincu Emma de l'accompagner à son camp musical, mais cette dernière est saisie d'une panique de dernière minute.

Émily comprend son amie.

« Ça doit être à cause de sa valise ! pense-t-elle. Elle est tellement horribilis ! On dirait une poche de hockey ! Moi aussi, je paniquerais à l'idée de me montrer avec une telle valise. »

— On n'aurait jamais dû mentir, dit alors Emma en regardant partout.

— C'est juste pour ça que tu veux plus venir ? demande Émily, abasourdie.

— Oui.

— Bof, un petit mensonge de rien du tout.

— Tu as dit que j'avais un an d'expérience musicale !!!

— Ben, c'était le critère d'admission. J'avais pas le choix de dire ça.

— Mais j'ai pas d'expérience du tout !!!

— Oui, tu en as. Tu as de l'expérience en tant qu'AMIE de musicienne ! C'est une expérience musicale, non ?

— Franchement, Émily. J'aurais jamais dû accepter. Pis, en plus, ça va me prendre toute une vie avant de pouvoir te rembourser les frais d'inscription.

— Je te l'ai dit, tu me rembourseras quand tu gagneras le prix Nobel de jardinage.

— De biologie végétale ! grogne Emma.

« Biologie végétale, jardinage… »

Pour Émily, c'est du pareil au même.

Emma a surpris tout le monde en gagnant, en mai dernier, le concours pancanadien d'Expo-Sciences avec le pire rejet de tout le pensionnat Saint-Preux (Saint-Prout), Simon Chouinard. Et, autre surprise, ils ont gagné avec un projet de… biologie végétale/jardinage!

— Tu as dit toute l'année que tu faisais un projet de jardinage!

— Noooon.

— Oui, Emma. Tu disais « jar-di-nage », répète Émily en chatouillant son amie.

— Ben, je disais ça, mais au fond de moi je savais que c'était BEAUCOUP PLUS que du jardinage. Un projet de jardinage ne m'aurait jamais permis d'aller en Espagne et de gagner un concours international… J'en reviens toujours pas d'avoir pris l'avion pis… d'avoir GAGNÉ!!!

— Avec Simon-Rejet!

— Avec Simon-Rejet!

— Quand tu gagneras un prix Nobel de BIOLOGIE VÉGÉTARIENNE…, reprend Émily.

— VÉGÉTALE!

— Végétale, pétale, spirale, en tout cas, bref, tu me rembourseras. En attendant, respire par le nez, veux-tu?

— Par où d'autre tu veux que je respire?

— C'est une expression, Emma.

— Je sais, je fais de l'humour. Regarde! dit soudainement Emma en montrant du doigt un coin de la gare. Encore un! Encore un ado avec un instrument de musique! C'est musti l'horreur! Le train va être plein de musiciens. Et tout le monde va avoir un instrument de musique. Sauf moi. Je capote.

— Youhou! La Terre appelle planète Emma! Je te ferai remarquer que tu t'es inscrite en chant, comme moi. Moi non plus, je n'ai pas d'instrument.

— C'est pas vrai, toi, tu as ton instrument à cordes.

— Hein?

— Tu as tes cordes vocales!

— Mais, toi aussi, tu as des cordes vocales!!!

— Oui, mais elles sont pas bonnes pour chanter, les miennes!!!

Émily soupire avant de prendre une autre bouchée de son sandwich. Le camp musical Étoiles et Sons («Tu parles d'un nom!») est situé à Bonaventure, en Gaspésie. La façon la plus simple («… et surtout la plus cool!») de se rendre là-bas est de prendre un train de nuit en partance de Montréal et de dormir dans un wagon-lit.

«TOP GÉNIAL!»

Juste le mot « wagon-lit » semble excitant. Alors, à l'idée de coucher dedans en plus, Émily en a des frissons partout.

Pour le moment, cependant, les frissons se font plutôt discrets parce qu'elle n'a aucun plaisir à tenter d'avaler son sandwich.

« C'est pas mangeable, cette affaire-là ! Top inavalable… Est-ce que ce mot existe ? se demande-t-elle soudain en lorgnant le bout de pain. Dit-on "anti-avalage" ? "non avalable" ? "qui freine l'action d'avaler" ? »

— Pas ben bon, le sandwich, hein ? lâche Emma.

« Ah voilà : pas bon. »

— Non, pas ben ben, répond Émily, dépitée.

— Qu'est-ce qu'on va faire ? On va crever de faim dans le train si on mange pas !

— On pourrait s'acheter des chips ?

— Des chips…, répète Emma, songeuse, en fronçant les sourcils.

— T'as raison. On est pas pour souper aux chips !

— Oh, Émily, je veux plus y aller ! Je veux plus y aller, bon !

Emma regarde son sandwich à moitié mangé et fixe son regard désespéré sur la porte principale de la gare.

— Dire que je pourrais m'enfuir, super facile, poursuit Emma.

— Arrête ! dit Émily en riant. On va triper là-bas. On va être dans la forêt !!!

— Justement !

— On va faire du canot ! Pis de l'escalade !

— Pis de la musique !!! ajoute Emma d'un ton plaintif.

— Tu pourrais faire croire que tu as une extinction de voix ? Tsé, genre, un rhume que tu aurais attrapé dans l'avion en revenant d'Espagne ?

— Ah oui. C'est vrai, ça ! Eille ! C'est une bonne idée, je pense !

— Tu vas voir, on va avoir du fun !

— Ouais, peut-être…

Emma mâche son sandwich avec difficulté. On dirait une motte de pâte à modeler entre deux tranches de caoutchouc.

— Penches-tu que ch'est le chenre de forêt où y a des loups ?

— Je sais pas, répond Émily en fronçant les sourcils.

— Cha cherait le fun.

— Pourquoi ?

— Ben, ch'ai chamais vu un loup.

— Moi non plus.

— Ch'ai chamais vu un ourche non plus.

— Moi non plus.

— Ni un lynxche, dit Emma en avalant sa bouchée.

— Eille. Arrête. C'est moi qui voudrai plus y aller.

— Hahahahaha!

— Sauf si c'est des loups-garous! Des loups-garous, ça me dérange pas. Tsé. S'ils sont tous beaux comme Jacob Black…

— Oh ouach. J'aime mieux des vrais loups.

— On sait bien, toi, tu préfères les loups-garous asiatiques.

— Le lien, s'il te plaît!? fait Emma en rougissant.

Émily sourit. Elle revoit dans sa tête le visage décomposé d'Emma, le jour où elle a demandé à Elton Chung s'il voulait être son partenaire d'Expo-Sciences. Simon-Rejet a répondu à la place de son camarade coréen. Résultat: Emma n'a toujours pas avoué ses sentiments au principal intéressé.

— À quoi ça ressemble, un wagon-lit? demande Emma.

— Je sais pas. J'ai jamais dormi dans un train, répond Émily, excitée.

— C'est comme un dortoir? Genre, plein de lits côte à côte?

— Peut-être que ce sont des chambres séparées comme à l'hôtel!

— J'ai teeellement aimé ça, être à l'hôtel pour Expo-Sciences! lance Emma. Eille! Je pense à ça!

Comment on va faire pour savoir qu'on est arrivées? Est-ce que quelqu'un vient nous réveiller dans le wagon? Ce serait musti plate de se réveiller à l'autre bout de la province!

— On peut mettre l'alarme de mon iPhone, si ça t'inquiète.

— Oui, ça m'inquiète.

— Moi, je me demande surtout où on met nos valises. La tienne… heu… ben…

Émily ne termine pas sa phrase. Elle veut dire que la valise d'Emma (en fait, le gros sac-poche d'Emma) se range facilement n'importe où, mais que sa valise à elle (beaucoup plus chic) prendra peut-être trop de place. Or, elle vexera peut-être son amie si elle lui dit que sa valise est plus belle que la sienne.

— Quoi, ma valise? demande Emma.

— Ben… heu… elle est plus… heu… petite. Tsé. Mais qu'est-ce qu'on va faire avec la mienne?

— Tu veux dire: qu'est-ce que TU vas faire avec TA valise? C'est TON problème.

— Ouin.

— Tu as apporté beaucoup trop de choses, aussi, rigole Emma. On dirait que tu pars pour un mois.

— Ben, on part pour deux semaines! Ça prend beaucoup de vêtements. Des chauds, des pas chauds…

— Oui, mais ça prend pas tant de place que ça, un chandail chaud pis un chandail pas chaud.

« Emma doit effectivement avoir seulement deux chandails dans sa poche, se dit Émily. Et même deux chandails pareils. Hihi ! Hon. C'est pas drôle au fond. »

Emma ne vient pas du même monde qu'Émily. Elle n'a pas de chauffeur privé, ni de domestiques. Il faut dire qu'Emma n'aurait jamais fréquenté le chic pensionnat Saint-Prout si elle n'avait pas eu droit à une bourse pour élèves « supra-intelligents » comme elle.

Émily pense avec horreur qu'elle aurait pu ne jamais connaître Emma.

« Vive les bourses », songe-t-elle avant de regarder son amie en souriant.

— Pourquoi tu me regardes comme ça ? demande Emma avec méfiance.

— Ben, pour rien.

— Tu ris !

— Ben, je suis de bonne humeur !

— C'est sûr. Tu t'en vas pas dans un camp où tu auras l'air tarte tous les jours pendant deux semaines, comme moi.

— Tu auras pas l'air tarte.

— Oui, je vais avoir l'air tarte. Imagine que tu viens avec moi dans un camp de mathématiques après avoir dit que tu avais toujours

100 % dans tes tests Map. Comment tu te sentirais?

— Heu… tarte?

— C'est ça.

— Oh, je pense que c'est l'heure d'y aller, dit Émily, changeant de sujet. Regarde! Les autres ont commencé à se mettre en file.

«Ouf! Changement de sujet réussi.»

Une dizaine d'adolescents transportant des étuis à violon, à guitare ou à contrebasse forment une file devant la porte menant aux quais.

«Tiens. Il est bizarre, cet étui-là, pense Émily. Un étui rond? Quel instrument est rond? Une cymbale? Peut-on jouer uniquement de la cymbale?… Hum. Non.»

— Allons-y, murmure Emma, la mort dans l'âme, en suivant Émily qui traîne péniblement sa grosse valise sur roulettes.

— Oublie pas (humpf) de me faire penser à texter ma mère (humpf) quand je serai dans le train, crie Émily en soufflant.

— Moi aussi, il faut que je le fasse, répond Emma. Je veux que ma mère reçoive un message de moi avant que j'aille en prison pour mensonge éhonté entraînant préjudice.

— Parle donc en français (humpf) pour une fois, Emma.

Les deux filles prennent enfin place dans la file qui s'allonge de seconde en seconde. Qui sont tous ces gens qui dormiront dans le train avec elles ? Des touristes ? Des gens qui retournent chez eux ? Des moniteurs et monitrices du camp ?

« OH… MON… DIEU ! »

Émily n'avait pas pensé à ça. Et s'il y avait des moniteurs-professeurs du camp dans le même train qu'elles ?

« TOP GÊNANT ! »

Elle a envie de donner une bonne impression d'elle-même à ses futurs professeurs de musique. Elle a envie d'avoir l'air d'une future star de la musique ! Pas de se montrer en pyjama (« *Full* bébé ! ») dans un train !

Et surtout, elle n'a pas envie de les voir, EUX, en pyjama !!!

Aimerait-elle voir madame Gentilly, sa prof privée de chant, en pyjama ?

Réponse : NOOOOOOOON !

Émily observe attentivement les adultes qui se trouvent dans la file. Il y a beaucoup de couples et de personnes âgées. Hum. Parmi les ados, il y a aussi une fille seule, qui a les cheveux bleus.

Bleus. Comme la peau d'un schtroumpf. Avec une mèche plus foncée au milieu. Et un coin rasé.

« Sûrement une délinquante en fugue », se dit Émily

Elle aurait dû mieux regarder les petites affiches à l'entrée de la gare. Peut-être y avait-il la photo d'une fugueuse recherchée? Et Émily l'aurait retrouvée! Quoique… Que ferait-elle? Elle la dénoncerait?

« Poche. »

Elle lui apporterait de l'aide?

« Heu… »

Est-ce légal? Serait-elle considérée comme une complice?

« Ouin… »

Peut-être devrait-elle juste lui offrir un fruit?

On lui tape sur l'épaule avant qu'elle n'ait le temps de prendre une décision éclairée. C'est le moment de donner son billet et de descendre sur le quai, et Émily retarde toute la file.

— Bonjour, monsieur! lance-t-elle.

« Oh… mon… Dieu! »

Émily était tellement perdue dans ses pensées au sujet de la présumée fugueuse qu'elle vient de dire : « Bonjour, MONSIEUR » à la dame qui prend les billets. Oups.

« C'est quoi, aussi, l'idée de mettre un képi? »

— Bonjour, mademoiselle, répond LA képi. Vous êtes dans la voiture numéro 6.

— La voiture?

— Le wagon qui porte le numéro 6.

— Ah, oh, heu… Ok. Merci, MADAME.

— Bon voyage.

— Merci, MADAME. Qu'est-ce que je fais avec ma valise ?

— Vous allez voir, il y a des compartiments dans chaque voiture pour les grosses valises comme la vôtre.

— Mais… heu… je la monte… heu… toute seule ?

— Vous pouvez demander au personnel sur le quai, fait la dame avec impatience.

— C'est pas comme en avion…, dit Emma, fière de pouvoir maintenant faire la comparaison. On laisse pas nos bagages à quelqu'un ?

— Non, mesdemoiselles, c'est pas un AVION, c'est un TRAIN.

— Ah, ok. Merci, lâche Émily, gênée.

Elle commence à regretter de ne pas avoir voulu être accompagnée par monsieur Simard, le chauffeur de la famille. Elle dépose tant bien que mal sa monstrueuse valise sur l'une des marches de l'escalier mécanique pendant qu'Emma la suit jusqu'en bas, sa poche sur l'épaule.

« Ouin. Bonne idée, la poche, finalement. »

— Oh, mon Dieu, c'est vraiment trop cool !!! s'exclame Émily en voyant le train.

— Il faut trouver le wagon 6, déclare Emma, pragmatique, en regardant les divers numéros.

Les deux filles commencent à longer le train, éliminant les wagons un par un. Il y en a beaucoup, et le quai semble interminable.

— Wow! s'écrie Emma. Il y a des wagons qui ont même des petites tables avec des pots de fleurs! C'est chic.

— Ici, c'est (humpf) le wagon 19! dit Émily en tirant sur sa (maudite) valise. Je pense que (humpf) notre wagon est (humpf) complètement à l'autre bout.

— Allons-y!!! lance Emma avec enthousiasme.

— J'ai le bras mort! soupire Émily, qui décide de faire une pause.

— Allez! Avance! fait Emma en courant presque sur le quai. Si ça continue, le train va partir avant qu'on soit montées dedans.

« C'est quoi, l'idée, aussi, d'apporter AUTANT de vêtements!? C'était peut-être pas nécessaire d'emporter trois paires de bottes de pluie de couleurs différentes... Maudites bottes. »

— C'est ici, le wagon numéro 6! hurle Emma.

— Il était temps! Je songeais sérieusement à ouvrir ma valise pis à jeter la moitié de mes affaires à terre pour la fugueuse.

— Quelle fugueuse?

— Je me comprends.

Émily remarque alors que les autres adolescents qui voyagent seuls entrent tous dans
le même wagon.

Le numéro 6.

Le sien.

«Oh… mon… Dieu!

«C'est un wagon réservé au camp? Pourquoi ont-ils tous seulement un étui et une valise
NORMALE?… Ça y est, se dit Émily, je vais
avoir l'air d'une matante qui voyage avec tout
son barda inutile. *Full* exagéré.»

Elle regarde Emma enjamber les trois hautes
marches du wagon avec sa poche de hockey.

Bon.

Emma est tellement minuscule que la
grosse valise Ralph Lauren d'Émily pourrait
lui servir d'abri de survie, si jamais elles se
perdaient en forêt.

Donc, sa valise n'est pas TOTALEMENT
inutile.

— Qu'est-ce que tu attends? demande
Emma du haut des marches.

— La pleine lune! réplique Émily. Oh, mon
Dieu, Emma!!! Comment je vais faire pour
monter ma valise? Elle est trop lourde pour
que je puisse la lever! Je vais être obligée de
rester sur le quai!!!!

— Attends, je vais t'aider, dit un grand garçon d'environ seize ans aux cheveux blonds,

qui s'empresse d'empoigner la gigantesque valise-abri de survie d'Émily.

— Merci…, répond celle-ci, à la fois honteuse et soulagée.

— Pas de quoi ! souffle-t-il en grimaçant. Eille ! Veux-tu bien me dire ce que tu as mis là-dedans !? C'est ton instrument qui est lourd comme ça ?

— Quoi ?

— Tu vas bien au camp Étoiles et Sons ? lance le grand blond en tendant la main pour aider Émily à grimper à son tour.

— Heu… oui. Comment tu le sais ?

— Ben, des jeunes de notre âge qui voyagent seuls, surtout dans le wagon 6, habituellement, ce sont des jeunes du camp, explique le garçon en parvenant enfin à dégager l'énorme valise d'Émily de l'entrée du wagon.

— Tu vas au camp, toi aussi ? l'interroge Emma en déposant sa poche.

— Oui. C'est ma troisième année. Vous allez voir, c'est hyper cool. Je m'appelle Antony, en passant, fait-il en s'essuyant le front.

— Moi, c'est Émily.

— Et moi, c'est Emma.

— Tu peux rouler ta valise jusque dans le petit coin là-bas et juste garder ton sac et ton instrument avec toi, dit-il à Émily. Je te le conseille, parce que ta valise va prendre beaucoup trop de place dans la cabine.

«Gnégnégné.»

— La cabine? répète Emma.

— Vous êtes pas en cabine?

— Qu'est-ce que tu veux dire?

— Avez-vous pris les wagons-lits? demande Antony en fronçant les sourcils.

— OUI! répond Emma.

— Ben, vous êtes en cabines alors. Quand on va au camp, on est habituellement en cabine parce que ça fait partie du forfait. Montrez-moi vos billets! ordonne Antony sur un ton tellement autoritaire qu'Émily éclate de rire. Hé! s'exclame-t-il en levant les billets en l'air.

— Quoi? Il y a quelque chose qui va pas?

— Non non! C'est juste qu'on est dans la même cabine! déclare-t-il en leur rendant les billets avec un sourire.

— Cool, dit Emma, souriant elle aussi.

— Suivez-moi, les filles! lance Antony en faisant un moulinet avec le bras.

«Eh bien, c'est parti», songe Émily.

2.

— Venez, je vais vous montrer.

Les deux filles suivent Antony dans le couloir étroit du wagon. Elles passent plusieurs drôles de petites pièces munies de grandes banquettes face à face. Antony s'arrête devant l'une d'elles en souriant. Une fille y est déjà assise. Une fille aux cheveux bleus.

«OH NON! s'exclame Émily intérieurement. Je suis dans la même cabine que la fugueuse!!!»

— J'ai trouvé des compatriotes, dit Antony à la fille aux cheveux bleus. Voici Émily et Emma.

— Salut, répond la fille aux cheveux bleus en faisant un petit signe.

«Quoi quoi quoi? Elle va au camp? La police est-elle au courant? Elle est pourtant facile à repérer, non? Avec ses cheveux bleus et ses… oh, mon Dieu… des piercings! Elle a plein de piercings!!! Oh… mon… Dieu! Je suis dans la cabine d'une punk. D'une punk en fugue. Devrais-je lui offrir une part de mon sandwich au caoutchouc roulé en boule dans ma poche? Et… où est son chien? Les punks en fugue n'ont-ils pas toujours un chien? Va-t-elle nettoyer les fenêtres du train avec son *squeegee*? »

— Salut! fait Emma.

— Heu… c'est ça, les wagons-lits? demande Émily en restant prudemment sur le seuil pendant qu'Antony s'écrase sur une des banquettes.

— Ben… oui! Pourquoi?

— Heu… où on dort? On dort sur des bancs? Pis comment on va faire pour se partager deux bancs à quatre???

— Hahahahahaha! C'est la première fois que tu dors dans un train, toi, hein? lance Antony.

Émily est vexée. Mais Emma est déjà dans la cabine et s'assoit sur la banquette, à côté de la punk.

— Hé! On a une toilette juste pour nous? demande Emma.

— Oui, madame. Et une douche, aussi.

— Wow! Viens voir, Émily!

Émily entre dans la cabine avec réticence.

« Il n'est pas QUESTION que je dorme sur un banc. Un banc de punk en plus. Non mais. Est-ce que les graffitis sont fournis aussi ? »

Elle remarque l'étui de guitare électrique qui se trouve dans le filet à bagages, en haut de la cabine, à côté d'un étui plus petit. Celui-ci contient donc l'instrument de la punk.

« La punk s'en vient RÉELLEMENT au camp. Elle a fugué avec son instrument. Oh… mon… Dieu ! Quel peut être l'instrument d'une punk ? Du gazou ? Et si Antony pense qu'il peut faire son petit Jos Connaissant juste parce qu'il joue de la guitare électrique, il se trompe », se dit Émily.

— Je pense qu'il y a une erreur, affirme-t-elle en levant le nez en l'air. Nous avons payé pour avoir des lits. Alors, ça doit pas être ici. Toi, tu dors peut-être sur un banc, mais pas nous.

La fille aux cheveux bleus sourit. Un de ses piercings arrive exactement dans le trou de sa fossette.

« Wow. C'est un hasard ou c'est voulu ? »

— Il te niaise, lance-t-elle avant de s'adresser à son camarade : Franchement, Antony !

— Ben non, princesse, fait Antony en regardant Émily, personne ne dort sur des bancs. Les lits sont cachés en dessous. C'est juste qu'on les ouvre uniquement pour dormir.

Sinon on ferait tout le voyage en position allongée. Ce serait pas super confo.

« Princesse !? Non mais ! Je suis pas princesse, songe Émily. C'est pas être princesse que de pas vouloir dormir sur un banc comme une clocharde, quand même. »

Elle dépose son sac Prada d'un geste un peu sec et s'assoit elle aussi.

— Je m'appelle Emma, dit son amie en tendant la main vers la punk.

— Et moi, Léa, répond cette dernière. Faites pas attention à Antony. Il se pense bon parce que c'est son troisième été. Il a tendance à être petit boss des bécosses, mais vous allez voir, il est nul en rabaska.

— Hé ! s'exclame Antony en lui pinçant le bras.

— C'est quoi, la rabaska ? demande Emma.

— C'est du canot dans les rapides.

— Hein ? On va faire du canot dans des rapides ?

— Ben oui ! La rivière Bonaventure a de gros remous, explique Léa. Et notre beau Antony, il a peur en rabaska.

— Ben voyons, j'ai pas PEUR.

— Oui, oui, t'as peur.

— Je suis juste un peu nerveux.

— T'as peur ! T'as peur ! fait Léa en riant.

— Vous vous connaissez depuis l'été dernier ? l'interroge Emma en souriant.

— Oui, répond Léa. Vous allez voir, c'est vrai que le camp est tripant. Vous allez toujours vouloir revenir après.

Emma regarde Émily avec des yeux qui brillent. Les réticences qu'elle avait quelques minutes auparavant ont complètement disparu, et on dirait qu'elle va se mettre à léviter de bonheur. Émily, quant à elle, a toujours le mot « princesse » en travers de la gorge. Et puis, l'idée de partager sa cabine avec une punk ne l'enchante pas autant qu'Emma. Alors, partager une TENTE avec elle une fois rendue là-bas ? Brrr.

— Est-ce qu'on va être les seules nouvelles ? s'inquiète Émily.

— Non, non, la rassure Léa. On a remarqué plein de monde avec des étuis d'instruments dans la file tantôt, pis on les connaît pas nous non plus.

— Ouais ! Il y a même quelqu'un avec un musti gros étui, dit Emma.

— Probablement une contrebasse, fait Antony en fin connaisseur.

— Moi, celui qui m'intrigue, c'est le gars qui avait l'air d'avoir une console, déclare Léa.

— Une console ?

— Ouais. Pour faire du mixage. L'avez-vous vu ?

— Non.

— Ça, ce serait cool, hein, Anto ?

— Oh, tu sais, moi pis les pitons…

— Une console comme en studio ? demande Émily.

— Oui, c'est ça.

— Ce serait cool ! s'enflamme Émily.

« Je pourrais peut-être enregistrer une nouvelle chanson », pense-t-elle. Les séances en studio pour le célèbre agent Luc Trahan lui ont vraiment plu. Mais, à cause de la fille de l'agent, Maude Trahan, le contrat a été annulé, et ses chances de retourner en studio un jour semblent s'être envolées en fumée… Pfuittt !

— Vous êtes des chanteuses, c'est ça ? lance Léa en se tournant vers Émily et Emma.

— Heu… hum, pourquoi ? bafouille Emma.

— Ben. Vous avez pas l'air d'avoir d'instrument avec vous…

— Heu… oui, on chante toutes les deux, répond Émily en faisant un clin d'œil à Emma.

— Mais… heu… moi, ça tombe musti mal, j'ai une extinction de voix, dit Emma en regardant par terre.

— Une extinction de voix ?

— Ouais. Heu… j'ai pris l'avion pour la première fois de ma vie il y a trois semaines, pis j'ai attrapé un rhume.

— Mais c'est juste une petite extinction de voix…, tempère Léa.

— Non non, une grosse grosse.

— Ben… tu peux parler ! Alors, tu as de la voix !

— Ah. Heu… oui. Ben oui. C'est une grosse extinction de voix… de chant, ajoute Emma en regardant Émily. C'est ça. Ma voix de chant est… heu… atteinte.

— Eh ben ! fait Antony.

— Ouais. Hum. Et vous ? Vous jouez quoi ?

— Je joue du sax, répond Antony.

« Quoi ?

« Mais, mais, mais… »

— Et moi, de la guitare électrique, répond Léa.

— Coooooool ! s'écrie Emma.

— Tu joues vraiment de la guitare électrique ? demande Émily, abasourdie.

« Oh… mon… Dieu ! »

Un sifflement se fait entendre sur le quai, et le train commence à avancer lentement. Émily sent l'appareil gronder sous elle.

« Ça y est… »

— Yahouuuuuuu ! s'exclame Antony. On est partis !

Le train quitte la gare, s'ébroue sous le soleil et commence à gagner de la vitesse.

— En route pour le camp ! lance Léa en tapant dans les mains d'Antony et en tendant ses paumes vers Émily et Emma.

« À l'aventure ! » se dit Émily avant de taper elle aussi dans les mains des trois autres en riant.

3.

De : Émily Faubert (emilfaubert@hotmail.com)
À : William Beauchamp (willskate@gmail.com)
Objet : VOILÀ

Salut, Will ! Je suis dans le train ! Youpi ! Emma et
moi sommes dans une cabine avec une punk. (!!!)
Et une punk qui joue de la guitare électrique. (!!!)
Incroyable, hein ?
Je voulais te dire que je suis vraiment contente
que tu aies accepté qu'on s'écrive.
Je dois texter ma mère. Je te laisse.
J'espère que tu t'emmerdes pas trop à la mer
(blague).

Émily

4.

— Hé ! Ça va être le moment ! Faut pas le rater !

Le train roule depuis maintenant presque deux heures. Entre leurs conversations passionnantes avec Antony et Léa et les divers courriels et messages texte envoyés à l'aide du iPhone, Emma et Émily n'ont pas vu le temps passer.

— Où on va ? demande Émily en suivant Antony qui s'avance dans l'allée du wagon.

— Dans le Skydome ! dit le garçon sans se retourner.

— Le skaille quoi ?

— Le Skydome, répète-t-il en faisant des efforts pour avancer sans tomber.

« Flûte », se dit Émily.

C'est vraiment difficile de garder son équilibre dans un train qui roule.

« Hahahaha ! Flûte ! »

Elle s'est vraiment dit : « Flûte » alors qu'elle s'en va dans un camp musical. Elle fait des jeux de mots sans même s'en rendre compte.

« Saperlitrompette ! »

Émily s'agrippe aux sièges du mieux qu'elle peut. Les wagons sont tous reliés par des petits passages mouvants. Pas facile de traverser ces passages sans tomber.

— L'année passée, on a fait des concours ici, pérore Antony. Je vous dis : trente secondes, c'est le record. Et c'est moi qui le détiens. Pas vrai, Léa ?

— Ben oui, ben oui.

Les quatre amis traversent ensuite le wagon rempli de petites tables qu'a remarqué Emma quand elle était sur le quai.

— Hé ! C'est un restaurant ! dit-elle.

— Il y a un restaurant dans le train ? s'exclame Émily.

— Ben oui.

— Avoir su, on aurait pas mangé des petits sandwichs en caoutchouc.

— Hahahaha ! s'esclaffe Léa. Vous avez mangé les petits sandwichs de la gare ? Ils sont dégueulasses, hein ?

— Mets-en !

Dire qu'Émily pensait lui en offrir un il y a quelques heures à peine !

« Il faut que j'arrête de juger tout le monde tout le temps », se dit-elle.

Elle a jugé la poche d'Emma (finalement top pratique). Elle a jugé l'allure de Léa (qui finalement n'est pas en fugue du tout).

« Je suis donc ben poche, pense Émily. Poche. Hihi. Poche de hockey. Hahaha. Encore un jeu de mots. Coudonc! Je devrais devenir humoriste. »

— Il y a aussi un petit café dans le train, poursuit Léa. Tu vas voir, c'est super cool. On ira déjeuner là demain matin.

Mais Émily n'écoute plus, car elle sent qu'elle va perdre l'équilibre. Elle tente de faire un pas sans se tenir pour aller plus vite, mais c'est vraiment une très mauvaise idée. Aussi, elle se dirige tout droit vers… vers…

« Oh… mon… Dieu! »

Vers une table. Sur laquelle il y a une bouteille de vin. Et des assiettes. Pleines de sauce brune.

Non.

Non.

Non.

NON! BLING BLANG! NON! BLONG! NON! CRAC!

Émily atterrit sur la table, balayant du coup la bouteille de vin et quelques couverts vers sa gauche. Son chandail Diesel est un peu taché de sauce brune, mais le pire, LE PIRE, c'est qu'à gauche, il y a une dame. Assise. Sous la sauce. Et sous les fourchettes. Et sous les flaques de vin.

— OH! MADEMOISELLE!!! FRANCHEMENT!!! s'écrie-t-elle, l'air fâché.

«Oh… mon… Dieu!»

C'est le pire moment de toute la vie d'Émily.

— Je suis… vraiment… tellement… heu… tellement… Scusez!

— Quand on ne sait pas voyager, on reste chez soi! dit la dame, rouge de colère.

Hum. Émily devrait-elle lui dire que son visage empourpré va à ravir avec sa blouse tachée?…

— C'est un accident, madame Boisvert, intervient Antony. Elle a pas fait exprès.

— Mais elle n'a pas fait attention, répond la dame en pinçant les lèvres.

«Quoi, quoi, quoi? Madame Boisvert? Pourquoi Antony connaît-il le nom de cette dame?

«OH… MON… DIEU!»

Ça y est. Le pire est arrivé. Non seulement elle est dans le train en même temps qu'une prof, mais elle vient en plus de lui tomber dessus en renversant une bouteille de vin rouge sur ses vêtements. C'est une catastrophe naturelle mortelle.

— Je suis vraiment désolée, madame… heu… Boisvert. Heu… est-ce que je peux vous offrir… heu… mes… heu… mes…

« Flûte. (Héhé. Hum.) Je ne suis pas pour lui offrir mes condoléances, quand

même. Personne n'est mort. »

— Ça va, ça va. Circulez, ordonne madame Boisvert en les chassant d'un geste de la main.

Antony se dirige vers l'autre wagon en refrénant un fou rire, suivi d'Émily, de Léa et d'Emma. Une fois passé les portes, il s'esclaffe.

— Wahouuuu! Émily! Hahahahahaha! Tu as littéralement ASPERGÉ madame Boisvert. Très drôôôle!

— C'est qui, madame Boisvert? demande Émily, inquiète.

— C'est la directrice du camp, répond Léa.

« Oh… mon… Dieu!

« C'est encore pire que pire. »

— Je vais être renvoyée!!! se lamente Émily.

— Ben non! assure Léa, qui rit autant qu'Antony. C'est juste très drôle.

Émily voit qu'Emma se retient de rire, elle aussi.

— Emma! Ris pas toi aussi! C'est épouvantable!

— Mais c'était très drôle…, pouffe Emma. Tu t'es mise à marcher croche, pis tu as carrément BIFURQUÉ vers sa table!

— Oui, tu as vraiment FONCÉ dedans, fait Antony, toujours hilare.

— Boum ! dit Emma en riant franchement maintenant.

Émily est mortifiée. Comme première impression, c'est réussi. La directrice la hait.

Super vacances en vue.

Parlant de vue, depuis le wagon dans lequel Émily s'est engouffrée, on peut voir un panorama magnifique. Le toit est tout en verre et entièrement transparent. Le ciel au-dessus d'eux commence à se teinter d'orange et de mauve.

— Wow ! murmure Émily.

— Cool, hein ? fait Antony en s'asseyant dans un fauteuil libre. Ce sera encore plus cool au lever du soleil demain matin, parce qu'on verra la mer !

— Yahouuuuuu ! crie Emma en sautant sur un autre fauteuil. J'avais oublié qu'on allait voir la mer !!!

— Eh bien, les filles, lance Léa avec emphase, bienvenue dans le Skydome.

Émily écarquille les yeux devant un tel spectacle. Les branches des arbres défilent à toute allure dans le ciel ocre au-dessus d'elle.

« Si William voyait ça ! Je devrais lui décrire ça en détail par courriel, tout de suite, se dit-elle en mettant la main sur son iPhone. Est-ce que ce serait exagéré ? »

Émily ne sait pas trop quoi penser. William et elle ne se sont pas vus ni écrit pendant près d'un an. Puis elle a reçu un courriel de lui en mai dernier. Il se disait prêt à recommencer à lui donner des nouvelles de temps en temps. Mais il n'est pas prêt à la revoir. Pas tout de suite, en tout cas.

Combien de courriels peut-elle lui écrire par jour ? Un ? Moins de un ? Un demi ?

Et des messages Facebook ? Oui ? Non ?

Et des messages texte ?

« Qu'est-ce que ça veut dire, "on peut s'écrire" ? se questionne Émily. On peut s'écrire des longs messages ou quelques lignes seulement ? Des petits coucous ou des longs bonjours ? Faut-il que j'attende qu'il me réponde avant de lui en envoyer un autre ? Ooooooooh. Top compliqué. »

Elle ne veut pas avoir l'air hystérique mais, en même temps, elle ne veut pas avoir l'air détaché. Ce qu'elle n'est ABSOLUMENT pas !

« Est-il encore amoureux de moi ? A-t-il une (aaaaaah !) blonde ? »

Filant à toute vitesse sous un ciel orange vers une forêt inconnue, Émily a soudain un tournimini tournevis mini dans le ventre. Elle regarde Emma qui lui sourit de son fauteuil.

« Je suis là, semble lui dire sa meilleure amie. Je suis là ».

5.

— Bienvenue au camp Étoiles et Sons! lance madame Boisvert avec enthousiasme.

Elle a revêtu une drôle de robe safari et porte un chapeau qui ressemble à ceux des explorateurs.

«Elle a l'air de bonne humeur malgré l'arrosage d'hier soir», se dit Émily, soulagée, avant de frotter ses yeux embrumés de sommeil.

Il est environ 9 h 30 du matin, mais la nuit a été courte dans le train. Les quatre nouveaux amis n'ont pas beaucoup dormi, préférant faire la conversation ou encore jouer sur le iPhone. Puis, aux aurores, ils ont regardé le soleil se lever depuis le Skydome.

«C'est tellement cooooool de rester éveillé toute la nuit dans un train!!»

L'ennui, c'est qu'Émily s'est endormie malgré elle environ une heure avant d'arriver. Résultat: elle est complètement perdue.

Ce matin, elle aimerait être plus en forme pour mieux apprécier la visite du camp. Elle se retrouve en pleine nature devant un ensemble de bungalows en bois, et ça sent tellement bon !

Est-ce que ça existe, un parfum «odeur de forêt»? Si oui, elle se l'achète en rentrant en ville, c'est sûr.

Elle aperçoit au loin une maison plus grande que les autres, qui semble tout droit sortie d'un film avec sa grande véranda, sa cheminée en pierre et ses petits pignons jaunes.

«Une vraie maison de poupée Charming!»

— Comme vous le voyez, poursuit la directrice, nous sommes sur un territoire naturel assez isolé, et il vous faudra respecter à la lettre certaines règles de base si vous ne voulez pas vous perdre en forêt.

«Oh… mon… Dieu… madame Boivsert me fixe!»

— Pas de vagabondage sans permission, continue la dame. Il ne faut pas sous-estimer les dangers de la faune sauvage. Alors, je ne rigole pas avec ça.

— Coooool, miment les lèvres d'Emma à l'intention d'Émily.

— On dirait qu'elle est encore fâchée contre moi, lui chuchote cette dernière.

— Ben non.

— Nous allons vous laisser le temps de vous installer dans vos bungalows avant la traditionnelle visite des lieux. Je vous rappelle que vous êtes quatre par bungalow et que vous êtes responsables de la bonne entente entre vous et de l'entretien des lieux.

« Arrêtez de me regarder ! Pensez-vous que je vais renverser une autre bouteille de vin rouge dans vos bungalows !? »

— Allez déposer vos affaires et revenez ici dans exactement une demi-heure, conclut la directrice.

— Venez, les filles, dit Antony en prenant Emma par la manche. Vite ! Vite, avant que d'autres les prennent.

— Prennent quoi ???

Emma s'élance derrière Antony et Léa, pendant qu'Émily va le plus vite qu'elle peut en faisant rouler sa SATANÉE valise dans le gravier. C'est prouvé scientifiquement : RIEN ne roule dans le gravier.

— Attendez-moiiiiiiiiii !

Quelques minutes plus tard, elle parvient néanmoins à rejoindre ses camarades. Ceux-ci sont déjà à l'intérieur d'un des deux bungalows qui se trouvent sur la gauche. Émily vient de comprendre pourquoi Antony les convoitait tant. Ces bungalows sont tous deux sur le bord d'une magnifique rivière.

— Wow! s'écrie Emma en tournant sur elle-même entre les lits superposés. On va vraiment vivre ici pendant deux semaines?

— Je peux pas croire que j'ai enfin réussi!!! dit Antony. Ça fait trois ans que j'essaie de dormir dans un de ces deux bungalows là.

— Les bungalows ne sont pas tous pareils? demande Émily.

— À l'intérieur, oui. Mais quand on a ceux-ci, on peut se baigner sans que personne ne nous voie, si tu vois ce que je veux dire…

— Hein?

— On peut se baigner la nuit! explique Léa. La rivière est à nous!

— Aaaaaah! Je comprends!!!

— *Yessss.*

Antony a vraiment l'air fier de son coup. Il marche dans tout le bungalow en disant:

— *Yesss, Yesss, Yesss!*

— Heu… Antony, es-tu sûr qu'on peut être ici nous aussi? Je veux dire: les garçons et les filles peuvent dormir dans le même bungalow? l'interroge Émily.

— Non, fait Léa. Emma et moi avons déposé nos choses dans celui d'à côté. C'est pour ça qu'on voulait les deux! Pour être tous ensemble.

— Pis moi? lance Émily, paniquée. Je dors où?

— J'ai vidé une partie de mon sac sur un troisième lit pour te le réserver, dit Emma, tout sourire.

« Qu'est-ce que ça veut dire, une "partie" de son petit sac ? Un bas ? Mon lit est gardé par un bas ? »

— Salut ! Est-ce qu'il y a de la place ici ? demande un garçon grassouillet qui vient de glisser sa tête par la fenêtre.

— Oui ! Entre, répond Antony en ouvrant la porte. T'es chanceux. Ce sont les meilleurs bungalows ici.

— Cool ! s'exclame le garçon en montant les marches.

Il dépose son étui rond sur le plancher, puis se tourne vers Émily

— Je m'appelle Max, se présente-t-il en lui écrabouillant la main sous ses doigts boudinés. Hé, t'es super grande !

— Ouais. Je sais, lâche-t-elle, déçue d'être encore considérée comme LA GRANDE, même si Antony est plus grand qu'elle.

— Je me sens tout petit, s'esclaffe Max, avant de retrouver un air sérieux. C'est une blague, précise-t-il en voyant la mine étonnée des autres.

— Ben, heu…

— Est-ce que tu fais du mixage ? l'interroge Léa en pointant du doigt son drôle d'étui.

— Yep. C'est une Boss Br 600.

— Coooooooool! fait-elle.

— Tu peux enregistrer avec ça? lance Émily, pleine d'espoir.

— Ben oui, c'est l'idée.

— Génial! Je suis chanteuse! J'ai déjà fait du studio, pis j'ai vraiment aimé ça! Je savais pas qu'on pouvait APPRENDRE à… heu… à… heu… pitonner?

— À faire du mixage, dit Max en riant.

— Vas-tu vouloir m'enregistrer? demande encore Émily en joignant les mains.

— C'est sûr!

— Youhou, Émily! s'écrie Antony. C'est un camp musical ici! Tout le monde aime la musique. Pis tout le monde en fait!

— Hahahahahahaha! C'est vrai! J'avais oublié! C'est trop cooooool!!!

C'est alors que Léa lance un regard espiègle en direction d'Emma.

— Eh oui, TOUT LE MONDE fait de la musique ici, déclare-t-elle en la regardant fixement.

— Heu… hum, bon, Émily, viens-tu voir notre bungalow à nous? propose Emma qui vient de rougir jusqu'à la racine des cheveux.

— Attends une seconde, j'ai un caillou dans mon soulier.

— Non, tout de suite! insiste Emma en écarquillant les yeux.

Émily sort du bungalow en boitillant.

— Émily! C'est affreux! murmure Emma. Mon excuse d'extinction de voix ne marchera pas.

— Hé! C'est vrai que les bungalows sont pareils! dit Émily en franchissant le seuil avec sa lourde valise.

— Tout le monde va se rendre compte que je suis pas musicienne!

— Pourquoi tu dis ça? demande Émily en retirant sa chaussure.

— Parce que…

— Parce que quoi?

— Parce que Léa a l'air de se douter de quelque chose.

— Léa?

— Oui, je te le dis, elle a deviné!!!

— J'ai deviné quoi? lance Léa qui a suivi discrètement les deux amies.

Elle s'amuse à cogner contre ses dents le bijou qui traverse sa langue (bing! bing!) en souriant malicieusement.

« Ça doit teeellement faire mal de se faire PERCER la LANGUE! Est-ce qu'on peut quand même manger des cornets de crème glacée avec un piercing à cet endroit? se demande Émily. Ça doit creuser un petit trou dans la boule à chaque lichette… »

— Heu… rien…, bafouille Emma.

— J'ai deviné, genre, que tu n'as pas d'extinction de voix du tout?

— C'est ça! reconnaît Emma, dépitée. Je suis pas musicienne du tout!

« Wow! Emma n'a pas réussi à tenir son mensonge plus de douze heures! Ça doit être un record mondial. »

— Mais pourquoi tu es venue alors? demande Léa, réellement surprise.

— Parce qu'Émily voulait que je vienne avec elle, sinon elle ne venait pas!

« Ouin. »

— Et puisque c'est vraiment une super chanteuse, poursuit Emma, j'ai dit oui. Qu'est-ce qui va m'arriver? se lamente-t-elle. J'aurai pas le droit de rester, hein? L'affaire, c'est que maintenant je VEUX rester!!! Je VEUX rester ici. C'est beau. Ça sent bon. Et vous avez tous l'air super fins!

— Je veux bien être dans le coup, fait Léa, à condition…

— QUE QUOI? lance Émily.

— QUE QUOI? supplie Emma.

— Je veux tous vos carrés chocolat-pinottes.

« Hein? Qu'est-ce que c'est que ça? »

— Si c'est le même cuisinier que l'année passée, il fait des carrés chocolat-pinottes ÉCŒURANTS, ajoute Léa. On a seulement le droit à deux par personne. Je veux les vôtres.

— Ben là! C'est rien! se réjouit Emma. Bien sûr qu'on va te les donner, hein, Émily?

— Oui!!! répond Émily, soulagée.

« Quand on a un piercing dans la langue, est-ce plus facile de manger des carrés chocolat-pinottes qu'un cornet? »

— Et je veux qu'Antony soit dans le coup, poursuit Léa. Sinon il va se douter de quelque chose. Mieux vaut lui dire. Comme ça, on l'aura de notre côté.

— Ok!!!

— Salut! Reste-t-il une place ici? fait une voix grave qui résonne dans la pièce.

« Oups, un garçon qui pense que c'est un bungalow de garçons. Hihi! »

Émily se penche par la fenêtre et voit une grande fille à la peau noire qui les regarde avec inquiétude.

— Oui! Il reste un lit! répond Léa.

— Je peux me joindre à vous?

— Bien sûr, fais comme chez toi!

— Hé! C'est à qui, la grosse valise Ralph Lauren?

— C'est à moi, avoue Émily, honteuse. Je sais, c'est vraiment exagéré.

— Eh ben, ça nous fait une pièce supplémentaire! rétorque la nouvelle en éclatant d'un grand rire rauque.

— Hahahahaha ! C'est ce que je me suis dit moi aussi, dit Émily, soulagée. Ça peut servir de cabane.

— Quel est ton nom ? demande Léa.

— Kumba. Et vous ?

— Moi, c'est Émily. Elle, c'est Emma et…

— Moi, c'est Léa.

— Cool, tes cheveux, lance Kumba en riant.

Émily adore le rire de Kumba. C'est un rire comme elle n'en a jamais entendu. Étonnant. Tout en saccades.

— Les filles ! crie Antony sur le seuil du bungalow voisin. C'est l'heure de la visite. Dépêchez-vous !

— Qui c'est, ça ? s'informe leur nouvelle compagne de chambre.

— Ça ? répond Léa en pointant Antony du doigt. Oh… comment dire ?… Un genre de… d'elfe de la forêt, disons.

« Hihihi. »

6.

De : William Beauchamp (willskate@gmail.com)
À : Émily Faubert (emilfaubert@hotmail.com)
RE : Voilà

Salut Émily ! Comme ça, les punks aussi jouent
de la musique ? (blague)
Ici, encore une journée de vagues géantes. Il fait
super beau et tôt le matin, il n'y a presque pas
de plancheurs dans l'eau. C'est comme si la mer
était à moi.
Prends soin d'Emma. Tu sais que ce camp
l'inquiète beaucoup ?

Will

7.

— Je l'ai! claironne Emma en brandissant un galet plat.

— Ah oui?

Émily et Emma font équipe dans le « grand jeu de la récolte », qui consiste à chercher des indices à l'aide d'une carte et à rapporter les éléments demandés. Elles n'ont plus que deux missions à accomplir avant de retourner au camp.

L'objectif de l'une de ces deux missions est de rapporter une roche polie par l'eau, qui a la forme d'un animal.

— Heu… le lien, Emma? fait Émily en fixant le galet.

Elle veut rentrer au bungalow. Elle en a marre de faire des activités dans le bois, où elle risque de rencontrer un ours à tous les coins de sentier.

Bon. C'est un peu exagéré. Elle n'a encore croisé aucun ours. Mais on ne sait jamais.

— Ben oui, regarde, dit Emma. Ma roche ressemble à un chat!

— Heu…

— Tu trouves pas? Une tête de chat de profil! ajoute Emma en faisant tourner entre ses doigts le galet mouillé qui miroite au soleil. Avec l'oreille, ici. Pis…

— Mouais. On pourrait trouver mieux!

— Je sais, mais il faut pas trop perdre de temps non plus si on veut pas être les deux dernières épaisses à arriver. Déjà qu'on a niaisé tantôt dans le talus de fraises!

— J'étais SÛRE que c'était des framboises, pis qu'il fallait chercher ailleurs!

— Ben, c'était des fraises!

— Oui, mais, moi, j'ai jamais vu des fraises aussi petites. Quand c'est petit, c'est des framboises, non?

— Non. On prend le galet ou pas? J'ai les pieds gelés, l'eau est vraiment froide!

Les filles se tiennent debout dans la rivière Bonaventure. C'est la première fois qu'Émily voit une rivière dont l'eau est si claire. Elle peut même y voir nager de minuscules poissons argentés.

« C'est cool, la nature, se dit-elle. S'il n'y avait pas les ours. Cachés. Attendant de croquer dans ma chair tendre. Brrr. »

— Ok, on prend le galet, dit Émily en tapant sa paume dans celle de son amie. Une autre étape terminée. C'est quoi, la dernière?

Elle regarde par-dessus l'épaule d'Emma et lit:

— « Dernière étape: allez vers le nord et rapportez un outil. » Bon. En route! On va avoir fini, pis on va pouvoir retourner au camp.

« En courant », pense-t-elle.

— Okédou, ti pou.

Les deux filles observent leur boussole et se mettent en route. Or, elles ne trouvent aucun outil sur leur chemin.

— Bon, on est assez au nord comme ça, je veux pas non plus qu'on s'enfonce trop dans la forêt, déclare Emma. Déjà qu'on n'entend plus la rivière. Je ne sais plus où elle se situe. On se perd vite, ici, hein?

— Mais tu sais où, NOUS, on se situe, hein? demande Émily d'une petite voix.

— Ben oui, ben oui.

— Bon. On trouve un outil et on rentre. Un outil, un outil, un outil, répète Émily en regardant partout, tout en marchant.

— Un outil, un outil, reprend Emma.

« Pourquoi pas une scie ronde? Tsé! Pouf! Au milieu de la clairière? Franchement, quelles sont les chances pour qu'on tombe nez à nez avec une scie ronde ? Dans un dessin animé peut-être, mais pas dans la VRAIE vie. »

Émily remarque alors qu'Emma s'est métamorphosée en statue. Elle ne bouge plus.

— Emma ? Qu'est-ce que t'as ?

— Je pense que ça a bougé, là, murmure-t-elle en pointant le doigt devant elle.

— QUOI ?

— Chut. Je pense qu'il y a quelque chose dans le buisson, juste là…, dit encore Emma en faisant signe à Émily d'approcher.

— Quelque chose… genre quoi ? chuchote Émily.

— Ben, du genre gros, je pense.

« Oh… mon… Dieu ! »

Émily n'ose pas demander « gros comme quoi ? ». Elle s'accroupit à côté d'Emma en sentant son cœur accélérer. Que dit le petit guide du camp, déjà ? En cas de rencontre avec un ours…

« En cas de… Oh… mon… Dieu… En cas de… »

Émily ne se souvient plus de rien. La panique a pris toute la place. Madame Boisvert a pourtant dit ce qu'on doit faire si on rencontre un ours…

« Ours… ours ! »

Émily ne se souvient que de l'attentat au vin rouge…

« Ours… Ours… Tache sur la blouse… Ours… Ours… Du calme. Respire… Il faut faire du bruit. OUI !!!! C'est ça ! Il faut chanter en bougeant les bras, pour rappeler à la bête qu'on fait partie des êtres humains. Et il faut reculer. Ne jamais tourner le dos. Et surtout, ne pas courir. Et puis… »

Émily se lève en tremblant. Elle essaie de remuer ses bras, mais seules ses mains acceptent de bouger, et sa chanson improvisée ressemble davantage à un gémissement de chaton qu'à une interprétation de *Runaway*.

— Heu… qu'est-ce que tu fais ? demande Emma en observant Émily qui bat des mains en faisant « hiiiiuuu hiiiuuuu hiiiuuuu ».

Mais Émily poursuit sa drôle de chorégraphie sans s'occuper d'Emma. « Si un ours se cache là, il faut suivre le protocole à la lettre, pense-t-elle. Je veux pas finir en côtelettes barbecue. »

C'est alors qu'elle sent quelque chose dans son dos.

— HAAAAAAAAAAAAAAAA ! hurle-t-elle.

— Hé ! Qu'est-ce qui se passe ? dit Kumba.

La voix de Kumba est si basse qu'Émily en sursaute une deuxième fois.

— QU'EST-CE QUE TU FAIS DERRIÈRE MOI !? crie cette dernière, sous le choc.

— Ben…

— Hé, qu'est-ce qui se passe ? fait Léa en émergeant d'un sentier.

— Je viens d'avoir la peur de ma vie !!! soupire Émily en s'appuyant sur un tronc d'arbre.

— Est-ce que tu peux me dire ce que tu faisais, aussi ? l'interroge Emma en riant.

— Je chantais en bougeant les bras, comme ils ont dit de faire quand on voit un ours !

— Vous avez vu un ours ? s'inquiète Léa, soudain sérieuse.

—OUI !

— On sait pas trop, répond Emma. Il y avait du bruit dans le buisson là-bas. Mais quand Émily a crié, j'ai vu quelque chose s'enfuir dans le feuillage. On sait pas ce que c'était. Et en passant, Émily, tu ne bougeais pas les BRAS, tu bougeais les DOIGTS !

— Tu m'as prise pour un ours ? demande Kumba, hilare, à Émily.

— Ben non, c'est pas ça, souffle Émily qui peine encore à retrouver une respiration normale.

— Êtes-vous rendues à l'outil, vous aussi ? lance Emma.

— Oui ! On a trouvé ça, dit Léa en montrant une petite branche qui se termine par une double ramification.

— Génial ! s'exclame Emma. Vous allez en faire une fronde ? Super bonne idée !

— Emma, t'es sûre que l'ours est parti? marmonne Émily.

— Oui oui, affirme Emma. Mais je pense que c'était plutôt une marmotte, ou quelque chose comme ça.

— J'ai jamais vu quelqu'un faire autant le saut! déclare Kumba qui rit encore toute seule dans le sentier.

— Ok, ok! grogne Émily, avant de sourire elle aussi.

— Bon, on file, fait Léa. On se voit au camp, les filles!

— Oui.

Kumba et Léa s'élancent en courant dans la forêt, alors qu'Émily et Emma se remettent activement à la recherche de leur outil.

— Et si on prenait une branche et qu'on la taillait en pointe? suggère Émily qui vient d'avoir une idée. Ça ferait un genre de harpon! Il y avait pas une tribu amérindienne qui pêchait comme ça dans notre livre d'histoire l'année passée?

— OUI!!! Musti bonne idée! On va prendre la branche morte ici! Mais ça va être long à tailler avec le petit couteau qu'on a. On va encore perdre du temps.

— J'ai juste à le faire en chemin, répond Émily, qui n'a plus qu'une envie: rentrer.

«Pas envie de me faire bouffer par cet ours-marmotte.»

— Attend, je prends la boussole, dit-elle à Emma avant de plonger sa main dans sa poche.

«Oh… mon… Dieu!»

Sa poche est vide.

— Emma! J'ai perdu la boussole.

— Quoi?

— J'AI PAS LA BOUSSOLE!

— Elle est peut-être tombée de ta poche quand tu as sursauté en voyant Kumba. Va regarder par terre.

Émily court en direction de l'endroit où elle s'est retrouvée nez à nez avec sa compagne de bungalow. Ouf. La boussole est là, à côté d'une vieille souche.

— Elle est là!!! crie Émily à Emma.

«Mais… mais… mais…

«OH… MON… DIEU!

«Elle est cassée. Elle est cassée!!!»

— Emma! J'ai dû marcher dessus! Elle est brisée! On va mourir!

— Ben voyons, fait Emma en s'approchant. Peut-être qu'on peut la réparer?

— Je pense pas! Elle est vraiment écra-bouillée! Il manque même une aiguille!!! Oh, mon Dieu, Emma! Qu'est-ce qu'on va devenir? Avec un ours dans le coin en plus!? Je capote.

— C'était pas un ours, Émily. Laisse-moi réfléchir.

Émily a envie de pleurer. Elle avait tellement hâte de se retrouver dans la forêt et de vivre des aventures. Or, c'est beaucoup moins drôle quand les aventures arrivent pour vrai.

— Je pense que j'ai trouvé quoi faire, dit Emma. On sait qu'il faut aller vers le sud, oui?

— Ben… oui. Mais ça nous avance pas, Emma! On n'a plus de boussole, je te signale!

— Mais on a juste à se servir de notre montre! répond Emma en souriant.

— Une montre, c'est pas une boussole! Youhou! Une montre, ça indique l'heure. Pas le nord!

— Je le sais. Mais le soleil bouge d'est en ouest, non? Alors, j'imagine que si je pointe ma petite aiguille vers le soleil, la bissectrice de l'angle va donner nord-sud!

— Heu… de quoi?

— Ben oui! poursuit Emma en détachant sa montre-bracelet pour faire la démonstration de sa théorie. On est l'après-midi. Donc, le sud va se retrouver du côté gauche du chiffre douze de ma montre! Tu vois? Le sud est donc par là! s'écrie-t-elle, excitée.

— Je comprends rien, avoue Émily qui retrouve le sourire. Je suis pas une bollée comme toi, mais je te crois. *Go*.

Émily ressent un grand soulagement en ramassant son sac. Emma chante peut-être comme une brebis enrouée, mais c'est vraiment la fille la plus intelligente de l'univers.

— Attends, insiste Emma en attrapant Émily par le capuchon de son kangourou Roots. Je comprends pas que tu comprennes pas ! SI JE PLACE MA PETITE AIGUILLE SUR LE…

— C'est beau, Emma. Fonce !

Avec un peu de chance, la montre leur indiquera peut-être même un raccourci…

8.

— Dépêche-toi, Émily!

— Arrête de me bosser, Antony, dit Émily en souriant.

— Je te bosse pas.

— Ben oui, tu me bosses.

— Comment trouves-tu les profs ici? demande-t-il.

— Pas mal. Mais je m'ennuie de madame Gentilly.

— Qui?

— Ma prof privée. Elle est beaucoup plus... heu... sévère.

Antony fronce les sourcils. En comparant ses cours privés avec les cours de musique qui sont donnés tous les matins au camp, Émily réalise qu'elle a beaucoup de chance d'avoir madame Gentilly comme professeur. Celle-ci est exigeante, bien sûr. Elle la fait travailler très fort. Mais Émily progresse avec elle. Alors qu'ici, même si les professeurs ont l'air compétents, elle a l'impression de ne pas apprendre assez de choses. Son oncle Alain avait raison : ce n'est pas pour rien que madame Gentilly est réputée dans le milieu musical.

Émily et Antony marchent en direction de la maison centrale, où a lieu la première session de musique en groupe.

« Il était temps ! On va ENFIN faire de la vraie musique. J'en ai marre des vocalises. Et des ours. Et des marmottes. Je suis une fille de ville, moi. Et je suis musicienne, bon. »

Les deux amis entrent dans le grand salon de la maison. Tous les autres musiciens du camp sont déjà assis sur des divans ou encore par terre, avec leurs instruments respectifs. Tous, sauf Emma qui s'est cachée dans les toilettes, prétextant un mal de lobe d'oreille.

« Ouais, ouais… », semblaient se dire les autres.

Emma simule un mal de quelque chose tous les matins pour échapper aux cours. Cette fois, même madame Boisvert risque de se douter de quelque chose.

« Un mal de lobe d'oreille, franchement ! »

Antony rejoint Léa qui a déjà branché sa guitare électrique dans un amplificateur et qui pince quelques cordes. Avec son look, on dirait une vraie *rock star*.

« Est-ce que ça m'irait bien, les cheveux bleus ? »

Antony humidifie l'anche de son saxophone et souffle quelques notes pour l'accompagner.

Émily est intimidée. C'est la première fois qu'elle entend ses compagnons jouer.

« Antony va me prendre pour une *twit* d'avoir voulu davantage de sessions musicales ! se dit-elle. Je ne suis même pas une vraie musicienne comme eux ! »

Dans un autre coin, quelques violonistes s'amusent à faire des harmonies, tandis que Max leur parle d'un certain Major Lazer avec passion. Émily est abasourdie par leur talent. Elle n'avait jamais entendu des harmonies à quatre !

« Oh… mon… Dieu !

« Tout le monde ici a un don ! Est-ce que le mien est assez bon ? »

C'est alors qu'Émily repère Kumba au fond du salon. Celle-ci chante en compagnie d'un garçon jouant de la contrebasse. La voix de Kumba ne ressemble à rien de ce qu'Émily a déjà entendu dans toute sa vie.

Elle semble ne faire que des sons. Des « tapididou bop bop ». Et des « tadoudou tadoudou bap ».

« Top bop cool !! »

Émily s'approche timidement. Et soudain, elle réalise qu'elle devra chanter, elle aussi. Devant Kumba. Et ses «lolipopidou».

«OH… MON… DIEU!»

Émily ne veut plus chanter. Elle veut quitter le camp dès maintenant. En courant. Elle pourrait faire du stop? Non. Trop dangereux. Et si elle tombait sur un maniaque? Elle pourrait marcher jusqu'à la gare. Combien d'heures ça prendrait? Mourrait-elle desséchée par le soleil en route? Ou mangée par une bête sauvage?

Jamais elle n'arrivera à chanter devant Kumba.

«Top poche.»

— Allez, Émily, chante avec moi! fait Kumba entre deux «bi-bop».

Émily secoue la tête.

«Je ne suis pas pour m'humilier devant tout le monde!»

— Oh! Allez, Émily! chante Kumba avant d'ajouter des «lilililili».

«Même ses "lili" sont cool! INJUSTE.»

— Je sais pas chanter comme toi! dit Émily en baissant les yeux.

— Tu n'as qu'à faire ce que tu veux. C'est un jam!

— Un quoi?

— Un jam! Tu ne sais pas ce que c'est? s'étonne Kumba en levant un sourcil.

— Non…

Kumba fait un signe au contrebassiste et s'approche d'Émily pour lui répondre :

— « Jammer », ça veut dire « improviser ».

— Qu'est-ce que tu fais avec les mots ? Tu fais comme des « lili », heu…, tente Émily.

— Je fais du scat ! Comme Louis Armstrong !

— Quoi ? Qui ?

« C'est la honte. »

Émily réalise qu'elle ne connaît rien. Ni le jam. Ni le scat. Ni Louis Truc. Ni rien.

« Top rejet. Oh, mon Dieu, je suis la Rejet-Chouinard du camp Étoiles et Sons. »

— Louis Armstrong, il est génial ! renchérit Kumba en dansant sur place. Un jour, sur scène, il a décidé de jeter le papier sur lequel étaient écrits les mots de sa chanson.

— Devant tout le monde ? ?

— Oui. Il s'est mis à improviser toutes sortes de sons à la place. C'est ça, du scat !

Et Kumba recommence à chanter :

— Allez lélélélé, Émily lilililili !

« Heu… je vais vraiment faire des "lilili" ? Je vais avoir l'air ridicule ! Quoiqu'il faudrait que je fasse des "Kumba babababa". Et non des "Émily lilili". »

Émily a promis à madame Gentilly qu'elle prendrait des risques dans sa vie. Alors… n'est-ce pas un risque, justement, que de faire des «babababa»? Et puis, en studio pour Luc Trahan, il y a quelques mois, Émily s'est vraiment amusée à faire ce que Jeff appelait du *spoken word*. C'était une sorte d'improvisation, ça, non?

«Bon. Je vais y arriver.»

Émily se redresse et place sa respiration.

«Je pense que j'aimerais mieux faire une harmonie plutôt que du… heu… sprat. Stat. Spat. En tout cas. Scat.»

Elle lance donc sa voix un peu maladroitement avant de prendre de l'assurance.

Oui, ce qu'elle fait est joli. Moins impressionnant que ce que fait Kumba, sans doute, mais joli.

Cette dernière la regarde d'ailleurs avec un grand sourire avant d'attaquer d'autres sons encore plus rigolos. Émily commence à s'amuser. Elle décide de lui répondre en faisant un petit «bibibibip babababa».

«On dirait un dialogue musical de Martiens.»

Plusieurs musiciens s'approchent d'ailleurs des deux adolescentes en souriant et en frappant dans leurs mains.

— Attendez! Attendez! crie Max en courant vers le groupe, sa console sous le bras.

L'ado grassouillet branche quelques fils, se frotte les mains.

— Allons-y! lance-t-il avant de manipuler quelques boutons.

Un rythme résonne alors dans tout le salon, ajoutant un son hip-hop à l'improvisation.

C'est ensuite au tour d'Antony de jouer quelques notes sur son saxophone. Puis un joueur de guitare inconnu vient gratter quelques accords.

« WOW ! » se dit Émily pendant qu'elle fait ses « lililala poum poum ».

— Ok, tout le monde ! On arrête la musique ! crie alors madame Boisvert depuis le seuil.

« Oh non ! Boisvert ! »

— Hé ! Max ! crie Antony. As-tu enregistré pendant qu'on jouait ?

— Oui ! C'est dans la boîte ! répond Max, tout sourire.

— On a un enregistrement ? se réjouit Émily. Coool.

— Vous aviez l'air de vous amuser avec votre hip-hop-jazz ! dit madame Boisvert. On va un peu pousser l'expérience. Max, on va travailler les voix des filles avec le vocodeur. Tant qu'à faire du scat ! Kumba et Émily, venez ici, on va vous brancher à des micros. Je veux tous les instruments à cordes dans le coin gauche. Allez !

« Je rêve ? songe Émily. Elle n'est pas fâchée contre moi, alors ? »

— Je veux vous présenter quelqu'un, ajoute madame Boisvert en pointant un doigt vers Emma qui se dissimule dans le portique.

«Oh… mon… Dieu!»

Émily se mord les lèvres en souhaitant que madame Boisvert ne réprimande pas Emma devant tout le monde.

— Emma est une critique de musique, déclare encore madame Boisvert.

«De quoi?»

— Elle suivra nos activités en tant qu'observatrice et fera un rapport.

— Il va falloir l'épater, souffle une fille à côté d'Émily.

— C'est sûr, répond une autre. C'est une CRITIQUE de musique.

«Une quoi?» se dit Émily en réprimant son envie de rire.

Emma, le visage sérieux, serre sur sa poitrine un cartable et un crayon.

Sacrée Emma.

9.

— Il paraît qu'on entendait des cris de mort partout sur le terrain autour des bungalows…

Émily frissonne malgré son chandail de laine American Eagle et la chaleur du feu de camp.

— Un maniaque ? Ici ?

— On n'a jamais su c'était quoi. Un animal sauvage ? Une créature ? Personne n'a jamais rien su, dit Léa en faisant griller sa guimauve.

— Attends, mais où tu as entendu cette histoire ? lance Max qui écarquille les yeux.

— C'est une histoire connue dans la région. Demandez à madame Boisvert, vous verrez.

— Oui, d'accord. Mais qui dit que la « chose » est encore dans le coin ? intervient Antony. Tu dis que ça fait des années que ça s'est passé.

— Parce que…, fait Léa d'une voix hésitante.

— Parce que? répète Emma.

— Eh bien, je n'aime pas parler de ça.

— De quoi? insiste Émily qui sent des frissons se glisser sous son chandail.

— Eh bien…, poursuit Léa, parce que je l'ai vue.

— QUOI? s'écrient ses compagnons.

— J'ai vu la « chose ».

— Quand? demande Émily avec inquiétude.

— Ben voyons, lâche Antony. Je te crois pas.

— La nuit dernière.

— QUOI?

— J'arrivais pas à dormir. Antony ronfle tellement fort qu'on l'entend jusque dans notre bungalow.

— Hé! proteste Antony. C'est même pas vrai.

— Oui, tu ronfles! confirme Émily en souriant. C'est vrai qu'on t'entend!

— Tu ronfles fort, *man*, assure Max.

— Je ronfle pas, je respire fort. C'est pas pareil! réplique Antony, vexé.

— Qu'est-ce que tu as vu, Léa? dit Emma en joignant ses petites mains.

On dirait presque qu'elle est heureuse de savoir qu'il y a un monstre dans le camp.

— Eh bien, c'est difficile à décrire. Et puis, juste d'en reparler, ça me fait peur…

— Allez! la supplie Max, entre la peur et la curiosité.

— J'ai vu comme une ombre du côté des balançoires. J'ai pensé que c'était l'ombre de quelque chose, mais l'ombre elle-même s'est mise à faire bouger les balançoires. C'était vraiment… super angoissant.

— OH, MON DIEU! s'écrie Émily.

— L'ombre a fait bouger les balançoires? demande Antony qui commence à se sentir un peu moins fanfaron.

— Oui. C'est pour ça que j'ai commencé à avoir peur. Et puis, les chaînes des balançoires grinçaient. Vous savez? Parce qu'elles bougeaient vraiment fort.

— Pourquoi tu ne nous as pas réveillés?

— J'étais tellement paniquée que je ne pouvais plus bouger.

— Je comprends! répond Emma qui semble tout excitée par cette histoire.

— Et puis après, je n'ai rien dit parce que j'ai pensé que vous ne me croiriez pas de toute façon.

— C'est peut-être juste un fantôme? suggère Kumba.

— Heu… JUSTE un fantôme? dit Émily. Tu trouves que c'est moins pire si c'est JUSTE un fantôme?

— Ben, j'ai pas peur des fantômes, moi.

— Oh… mon… Dieu !

— Oh, les filles, on arrête, ok ? Je commence à avoir vraiment peur, là, fait Max en croisant les bras.

L'ambiance est si tendue que personne ne songe à se moquer de Max qui, malgré sa corpulence, est inquiet comme les autres.

— Ouais, j'ai un peu peur aussi, avoue Émily.

— La « chose » faisait des sons, poursuit Léa.

— Que faisait-elle ? l'interroge Emma.

— Elle gémissait…

— Comme Émily quand elle rencontre un ours ?

— Hahahahahahaha !

— Je gémissais pas, j'essayais de chanter, rétorque Émily, piquée au vif.

— Non, reprend Léa en retrouvant son sérieux. On aurait dit le rire d'un dément.

— Ok, moi, je rentre ! déclare Max en se levant.

— Non non, on va arrêter, assure Antony.

— On s'était pas dit qu'on jouait à se faire peur ? demande Kumba. Vous voulez plus jouer ?

— Ben là, on dirait pas qu'on joue ! dit Antony. C'est une blague, Léa ?

— Non, répond la fille aux cheveux bleus en baissant les yeux. C'est vrai.

— Bon, ça suffit, tranche Max. Moi, j'ai trop peur. En plus, avec ton histoire de meurtre à coups de dents, je capote. Je pourrai jamais aller au petit coin cette nuit si j'ai envie !

— Merde, c'est vrai ! Les toilettes !

Les bungalows n'étant pas équipés d'installations sanitaires, les pensionnaires doivent emprunter un petit chemin jusqu'aux toilettes extérieures.

— On est mieux de se vider la vessie avant d'aller se coucher ! rigole Emma. Sinon…

— Il est pas question que j'aille là, moi, lance Kumba. Je vais me retenir cette nuit !

— Tu n'as pas peur, toi ? demande Émily à Emma qui semble vraiment très curieuse.

— Oui, j'ai un peu peur. Mais je suis surtout intriguée. Qu'est-ce que ça peut être ?

— Une ombre, je te dis, martèle Léa.

— Oui, mais encore ? L'ombre de quoi ? D'un loup-garou ? D'un monstre de la forêt ?

— D'un tueur mort ? avance Kumba.

— JE M'EN VAIS, tonne Max.

— Bonne nuit, Max.

— Bye.

Léa tente d'étouffer un fou rire alors que Max disparaît dans le sentier.

— Pourquoi tu ris ? l'interroge Kumba.

— Parce que… pfff… parce que c'était pas vrai, mon histoire, lâche Léa en éclatant de rire.

Si vous aviez vu vos têtes pendant que je la racontais ! Hahahahaha !

— C'était pas vrai !? crie Antony.

— Oh... mon... Dieu, Léa ! dit Émily en écarquillant les yeux. T'es sûre ? Tu avais l'air tellement...

— Mais oui, je suis sûre, puisque j'ai tout inventé ! Hahahahaha ! Vous étiez tellement drôôôles !

— Pas de meurtre ? Pas d'ombre dans les balançoires ?

— Rien du tout, ajoute Léa avant de rire de nouveau.

— Oh, je suis déçue, fait Emma.

— Ben là, Emma !

— Je voulais voir la « chose », moi aussi !

Tous éclatent de rire.

— J'ai une meilleure idée pour se faire peur que les fausses histoires effrayantes, déclare Antony. Suivez-moi !

Les six amis saluent les autres autour du feu et se dirigent vers les deux bungalows isolés du côté de la rivière.

— Est-ce que ça vous dirait, un petit bain de nuit ? propose Antony en faisant un clin d'œil.

— Qu'est-ce que tu veux dire ? demande Kumba.

— OUI ! s'exclame Léa. Moi, j'ai le goût !!

— On n'a pas le droit de se baigner dans la rivière quand il fait noir, objecte Emma.

— Non, mais c'est l'avantage de nos bungalows, tu te rappelles? dit Émily en souriant.

— Qui a le courage de plonger dans l'eau glacée? lance Antony.

— On va mettre nos maillots? fait Kumba avec enthousiasme.

— Non, répond Léa. On y va tout habillés, c'est plus drôle. Allez!

PLOUF! Léa s'enfonce dans la rivière froide et noire, et plonge dedans. Elle émerge un peu plus loin en faisant de grands signes.

« Oh… mon… Dieu!

« Elle l'a fait pour vrai! »

— Elle est folle! souffle Emma. Elle risque l'hypothermie!

— Non! On restera pas assez longtemps dans l'eau. Allez! Youhouuuu! s'écrie Antony en sautant à son tour.

PLOUF!

— Y a-t-il des sangsues dans la rivière? demande Émily.

— Je vais aller voir, dit Kumba en riant avant de sauter à son tour.

PLOUF!

« Oh… mon… Dieu! Kumba aussi! »

Les trois amis s'éclaboussent dans la lumière diffuse de la lune.

« Et si la chose se manifestait ? Si elle dormait dans le fond du lac ?… Non. Y a pas de "chose" ! C'était des blagues… Bon. Mais… »

Émily jette un coup d'œil à Emma. Celle-ci sourit en frottant ses mains sur son jeans. On dirait qu'elle hésite.

— Emma ? Tu penses vraiment à y aller ?

— Pourquoi pas ? répond-elle, les yeux brillants. Tu penses que j'ai pas le courage de le faire ?

— C'est pas ça, c'est juste… Et la chose ?

— Mais c'était pas vrai ! fait Emma en entrant dans l'eau.

PLOUF ! PLOUF ! PLOUF ! En riant, elle patauge vers les autres avec maladresse et en éclaboussant partout.

« OH… MON… DIEU ! L'eau est NOIRE. Et froide. Et elle cache peut-être un monstre ! Et Emma a sauté ! Il ne reste que moi !!! »

Émily ferme les yeux et compte jusqu'à trois.

« Quatre ? Et si je comptais jusqu'à dix en fait ? »

— Allez, Émily ! Fais pas la poule mouillée ! Poc poc poc…, la taquine Antony.

— Poc poc poc ! ajoute Léa en frappant l'eau avec ses mains.

« Poule mouillée !? Non mais ! » pense Émily en entrant dans l'eau précautionneusement.

« AAAAAAAAAAAAAAAAAH ! »

— C'EST FROID ! ! ! hurle-t-elle.

— CHUUUT, tu vas nous faire repérer ! dit Antony en nageant vers elle.

— Nage ! Tu vas avoir moins froid, lui conseille Léa.

« OH… MON… DIEU. »

Émily prend son courage à deux mains et glisse complètement dans l'eau à son tour.

— C'est… wow. Génial ! s'exclame-t-elle alors, émerveillée par la sensation de froid mêlée à celle d'être en pleine forêt, la nuit.

Elle nage parmi les mille petits éclats de lune sur l'eau. Les cinq amis se regardent en souriant, complices de la peur qu'ils éprouvent, mais aussi de l'audace dont ils font preuve. Puis ils sortent rapidement de l'eau en se donnant des coups de coude dans les côtes.

L'air étant plus chaud que l'eau, Émily remarque avec surprise qu'elle n'a pas froid malgré ses vêtements mouillés.

— J'avais l'impression que la « chose » était juste sous mes pieds à un moment donné ! dit Emma.

— Oui, moi aussi ! répondent en chœur Émily, Kumba et Antony.

— Oh, mon Dieu, murmure Émily. La « chose » était certainement là, alors…

— La « chose » qui vit dans vos têtes, oui ! fait Léa.

— Mais si elle existait pour VRAI ? lance Émily.

— Je pensais jamais vous faire peur à ce point-là ! déclare Léa en souriant. Je suis bonne, hein ?

— Pauvre Max dans le bungalow, intervient Antony. Il sait pas que c'est une blague ! ! Je vais me dépêcher d'aller lui dire la vérité avant qu'il fasse pipi dans un verre pour pas avoir à sortir.

— Hahahaha !

— Bonne nuit, les filles !

— Bonne nuit, Anto.

Antony marche d'un pas rapide vers le bungalow des garçons. Kumba, Léa, Emma et Émily se préparent à rentrer elles aussi lorsqu'une grosse branche craque dans un talus, tout près.

— Aaaaaaaaah ! s'écrie Léa.

— Vous avez entendu ça ? demande Kumba.

— C'est quoi ? s'inquiète Émily.

— Je sais pas, dit Léa en marchant un peu plus vite. On rentre !

« Je suis sûre qu'il y a quelque chose dans le coin…, songe Émily en frissonnant. C'était peut-être l'ours-marmotte ?… »

10.

Au beau milieu de la mer
Ton sourire vient à manquer
Ton sourire vient à manquer
— Chinatown, *Bateau de querelle*

De : Émily Faubert (emilfaubert@hotmail.com)
À : William Beauchamp (willskate@gmail.com)
Objet : L'ours !!!

Will, tu ne devineras jamais ! J'ai vu un ours !
(Ben j'ai presque vu un ours.) Dans la forêt !
Emma et moi, on s'est perdues. Et on n'avait plus
de boussole. Et il y avait peut-être un ours dans
le buisson à côté de nous.

Je me suis baignée en pleine nuit dans la rivière.

Léa nous a fait croire qu'il y avait un monstre dans le camp.

Il y a ici une fille qui chante tellement bien. Elle s'appelle Kumba et elle vient du Congo. Cool, hein ? Elle fait du scat.

J'ai hâte de tout te raconter mieux.

Émily

De : William Beauchamp (willskate@gmail.com)
À : Émily Faubert (emilfaubert@hotmail.com)
Objet : RE : L'ours ! ! !

Un ours ? Vraiment ?

Will

11.

— Est-ce qu'il est trop tard pour descendre du canot ? demande Antony avec une pointe d'inquiétude dans la voix.

— OUI ! font en chœur Émily, Emma et Léa, qui sont assises à côté de lui dans l'embarcation.

Kumba, Max, trois autres compagnons et Filou, un guide d'environ vingt ans qui porte un petit anneau dans l'oreille, sont également assis dans le gros canot qui descend la rivière.

— Je DÉTESTE le rabaska ! grogne Antony.

— Contente-toi de bien te servir de ta pagaie, disent Filou et son anneau.

Émily regarde Emma en riant. Celle-ci porte un gilet de sauvetage pour enfant, le seul qui était à sa taille. Elle a l'air encore plus petite dans le fond du canot.

— Arrête de rire, Émily.

— Mais c'est trop drôle !

— Ça paraît que c'est pas toi qui vas revoler dans les airs aux premiers rapides !

— Ben non, tu revoleras pas.

— Et si j'étais trop légère ?

— Ben voyons donc.

— J'ai une idée, intervient Antony. On fait une petite escale et, Emma et moi, on descend du canot, pis on vous rejoint à pied là-bas. Qu'est-ce que vous en dites ?

— NON, répond le groupe en riant.

— On a besoin de tout le monde pour passer les rapides, précise Filou.

Émily commence néanmoins à être un peu inquiète. Les remous de la rivière sont-ils aussi dangereux que Filou et Antony le prétendent ? L'administration du camp ne les laisserait pas faire une activité risquée, non ?

— Ah, c'est trop cool ! lâche Léa en plongeant sa pagaie dans l'eau claire.

— Oui, mais, là, la rivière est tranquille, réplique Antony. Attends que ça se mette à bouger.

— Je sais ! !

— Regardez les poissons, dit Filou.

— Où ?

De gros poissons, probablement des saumons, filent sous l'eau à proximité du canot. Émily n'a jamais vu d'aussi gros poissons, pas même chez le poissonnier.

— Si on tombe à l'eau, qu'est-ce qui arrive ? lance-t-elle.

« Les saumons mangent-ils de l'humain comme, nous, on mange du saumon ? Et hop, une petite bouchée de mollet ? Brrr. »

— Personne ne va tomber à l'eau. Vous êtes bien nerveux ! fait Kumba.

— Si quelqu'un tombe à l'eau, il n'arrive pas grand-chose, explique Filou. La rivière est pas profonde ici. Au pire, tu te laisses porter par le courant en attendant qu'on aille te chercher.

« Top rassurant », pense Émily, qui est tout sauf rassurée.

— Pourquoi tu es aussi jeune ? demande Antony à Filou. N'aurait-il pas fallu quelqu'un d'un peu plus… expérimenté et sans anneau ? Au cas ?

— Hein ? Comment ça ? marmonne Filou.

— Dis-moi, Filou… tu as bien une formation de sauveteur, hein ?

— Oui !

— Sûr ? insiste Émily.

— Tu vois, Antony ? dit Filou. Tu as transmis ta peur à tout le canot.

— NON ! répond Léa. Pas à moi.

— Ni à moi, ajoute Kumba.

— Ni à moi, répète Max.

— Bon, bon, c'est pas un concours de courage, s'impatiente Filou. Attention, tout le monde.

On va rencontrer nos premiers rapides. Tenez-vous prêts. Oubliez pas ce que je vous ai dit. On évite les rochers et tout va bien aller.

« Gnégnégné. »

Émily n'est plus certaine de vouloir être dans le canot. Celui-ci commence à tanguer sur les vagues.

— Ça y est, ça commence ! crie Léa.

— Regardez les grosses roches en avant !!! lance Antony en devenant tout blanc.

— Ok, groupe ! hurle Filou. Il faut passer entre les rochers ! *Let's go* ! Vite !

— Oh… mon… Dieu ! soupire Émily. Ça va trop vite !!! On va s'écraser !!!

— Youppiiiiiiiiiii ! s'exclame Max avant de recevoir une vague. Gloup glob glub…

« OH… MON… DIEU ! On va se noyer ! »

— QU'EST-CE QUI SE PASSE ? s'écrie Max.

— ON TOMBE DANS LES MARMITES ! PAGAYEZ ! s'époumone Filou.

« Les marmites ? C'est quoi, le rapport avec les marmites ? !! »

Le rabaska file sur l'eau à si grande vitesse qu'il tombe de plusieurs centimètres entre chaque amas de rochers.

— Y A DES GROS TROUS ! crie Émily.

— C'est ça, les marmites, dit Filou. PAGAYEZ !

L'eau passe par-dessus bord à chaque tournant. Le canot se remplit d'eau en un temps record et tous ses passagers sont trempés.

— TROP COOL! exulte Emma dont les cheveux sont entièrement plaqués sur son front.

— À GAUCHE, ordonne Filou. À GAUCHE!

Émily rame de toutes ses forces malgré l'eau qui lui fouette le visage. Elle n'aurait pas dû mettre son t-shirt Lacoste.

« Les paillettes vont se décoller!... Non, mais qu'est-ce que je fais là, à penser à mon t-shirt, quand on est sur le point de tous mourir, écrasés contre une roche? »

— Aaaaaaaaaah! gémit Antony.

Émily remarque qu'il est passé du blanc au vert.

— Il va vomir!!! dit Emma.

— Gardez le cap, hurle Filou. Gardez le cap.

— Mais il va me vomir dessus!!! répète Emma.

— C'est mieux de survivre arrosé de vomi que de mourir noyé!

— Je ne veux ni l'un ni l'autre!!! fait Emma.

— Est-ce que quelqu'un a un sac? demande Émily.

— D'après toi?

— Pourquoi un sac?

— Pour qu'Antony vomisse dedans!

— PAGAYEZ ! ordonne encore Filou.

— Je vais vomir, geint Antony.

— Musti ouache ! crie Emma.

— PAGAYEZ, MAIS PAGAYEZ !

— Le bateau va être plein de vomi !

— Emma va être pleine de vomi !

C'est alors que l'eau redevient calme. Brusquement. Le silence qui s'ensuit est d'ailleurs assourdissant. La rivière est de nouveau lisse, sans obstacle.

— Hé, c'est déjà fini, les roches ? demande Kumba en riant.

— Oh, j'ai mal au cœur, marmonne Antony.

— Penche-toi au-dessus de l'eau, exige Emma.

— Beurk.

— Triple beurk ! dit Émily.

— Musti beurk !

— Yahouu ! s'écrie Léa. On les a eues ! On a combattu les rapides !

Émily regarde ses compagnons. Tout le monde est trempé. La casquette de Max dégouline ; Filou claque ses shorts et essaie de les essorer. Tout le monde a l'air heureux. Même Antony retrouve un peu ses couleurs.

Mais juste un peu.

— C'était… vraiment génial, admet Émily en souriant.

— OUI ! répond Emma qui tord ses tresses. Et j'ai réussi à rester dans le bateau !

— Je vous l'avais dit que c'était cool ! lance Léa.

— Mon Dieu, Léa ! Tes cheveux ont déteint ! Tu es toute bleue ! fait Kumba.

— QUOI ?

— Oui, c'est vrai, ment Émily qui comprend que Kumba lui fait une blague. Tu es toute bleue, Léa.

— QUOI ?!!

— Ben non, haha ! Haha ! s'esclaffe Émily. BLAGUE !

— Très drôle, lâche Léa en souriant.

— Hé, il te manque un piercing par exemple ! s'exclame Émily.

— Ouais ouais, c'est ça.

— Ton piercing ! Il n'est plus dans ta fossette !

— HA, HA, HA ! scande Léa. Je ne vous crois plus.

— Je te le dis ! lui assure Émily avec sérieux.

— Hé, c'est vrai, Léa, confirme Emma.

— C'est une blague ? demande Léa, perplexe, en portant sa main à son visage.

— Nooooon, c'est pas une blague, répond Émily qui commence à avoir envie de rire.

— Hahahahahahahaha! C'est vrai, Léa! intervient Kumba. Il n'est plus là! Il a dû partir avec une vague!

— Oh non! Mon piercing!

— Hahahahahaha!

— Je veux mon piercing!

— Ben là! On le retrouvera jamais, rigole Émily. Il est dans la rivière! Pis t'en as plein d'autres, des piercings!

— Attention, groupe, dit Filou. Tenez-vous prêts pour les prochains rapides.

— Mon piercing, se lamente Léa.

De nouveau, l'eau sous le canot se déchaîne. Les violentes secousses malmènent l'embarcation qui semble ne plus savoir dans quelle direction aller.

— À DROITE, crie Filou. DROITE!

— Il était un petit navire, chante Kumba en pagayant.

— Qui n'avait ja, ja, jamais navigué, complète Emma en faussant comme un cacatoès enroué.

— Ohé ohé! ajoute Émily en faisant l'harmonie.

— Hé, cool, l'harmonie diatonique! fait Kumba.

— Quoi?

— PAGAYEZ! s'égosille Filou.

— Mais oui, mais oui, dit Kumba de sa voix grave et traînante.

Bien sûr, Émily reçoit de grosses vagues froides, mais sa peur des rochers s'est envolée. Ne reste plus que le plaisir de se faire asperger et de filer à grande vitesse sur l'eau. Bien sûr, il y a aussi la joie de voir Filou perdre complètement le contrôle du groupe. Le guide est tout mauve à force de hurler : « PAGAYEZ ! »

— J'ai mal au cœur, répète Antony.

— Oh non, ça recommence, dit Emma. Vomis dans l'eau, Anto ! Dans l'eau !

— Beurk.

— Pauvres saumons pleins de vomi !

— Arrêtez de parler et pagayez, s'il vous plaît…, se désespère Filou.

— On pagaie, on pagaie, répond Max.

Puis, comme la dernière fois, les remous cessent d'un seul coup. Le rabaska et ses occupants dégoulinants retrouvent alors leur calme.

— Oh, j'ADORE ça, lance Émily. T'avais raison, Léa !

— Mon piercing…, geint la guitariste aux cheveux bleus.

— Non mais, on s'en fout, de ton piercing ! s'exclame Filou.

— NON, on s'en fout pas ! Je l'aimais, mon bijou, réplique Léa en appuyant son doigt sur sa fossette désormais nue. C'est injuste ! Tu as encore ton anneau, toi ! Pourquoi tu as encore ton anneau ?

— Il te reste celui de la langue, Léa, la console Max.

— OH, MON DIEU, Léa, tu as perdu celui de la langue aussi, s'écrie Émily pour la faire rire.

— Quoi??? Ben non! Je l'ai encore, répond Léa en faisant une grimace.

— Encore! Encore! fait Kumba en frappant l'eau de sa pagaie.

— C'est fini, les rapides, dit Filou, visiblement soulagé. Il ne reste plus qu'à se laisser flotter et à suivre le courant.

— C'est vraiment fini? demande Kumba.

— Oui.

— On chante alors, propose-t-elle.

— Ça vous tente pas de juste écouter les oiseaux? suggère Filou. Il y a des carouges ici et des…

— *I had the time of my life*…, commence Kumba de sa voix basse en reprenant le *cover* des Black Eyed Peas.

— *I never felt this way before*, chante Émily en levant sa pagaie vers le ciel

— Lalalalalalala, complète Emma avant que tous les autres ajoutent leur voix à l'ensemble.

« Je ne veux plus rentrer à la maison », se dit Émily.

12.

— Voichi la grotte de Chaint-Elgéar, dit la guide en chuintant.

— Chaint-Elgéar? murmure Émily à l'oreille d'Emma.

— Chut.

— Chette grotte date de plus d'un demi-million d'années. Ch'est donc un endroit hichtorique.

— Hichtorique? glisse de nouveau Émily en se mordant les lèvres.

— Arrête donc! lance Emma en fronçant les sourcils.

— Pourquoi tu fronches les chourchils? poursuit Émily qui reçoit alors un coup de coude dans les côtes. Ayoye!

— Tais-toi. Je veux écouter.

Tous les jeunes du camp Étoiles et Sons sont rassemblés autour de la guide devant l'entrée de la grotte qu'ils s'apprêtent à visiter. Emma n'en a pas dormi de la nuit. «On va visiter une vraie grotte!!!»

Pour Émily, visiter une grotte n'est pas si excitant. Plutôt salissant? Terrifiant?

«Angoissant! On va devoir ramper dans la boue! Et il y aura peut-être… heu… des rats comme dans *Indiana Jones*?»

— Chette grotte est la plus vieille de tout le Québec. Vous aurez la chanche de contempler des concréchions exchtraordinaires.

— Des concréchions? répète Max.

— Pas des concréchions! Des concréchions, répond la guide.

— Mais c'est ça que j'ai dit: des concréchions!

— Elle veut dire: des concrétions, chuchote Emma discrètement à l'intention de Max.

— Des concréchions, explique la guide, che chont jifférents corps chimiques et phygiques qui che cholidifient enchemble.

— Comme les stalactites, poursuit Emma. Tsé, les grands trucs qui pendent du plafond dans les grottes?

— Oui oui, je SAIS ce que c'est qu'une stalactite! répond Max, vexé. Mais je savais pas que ça s'appelait des concrétions. C'est tout.

— Alors, on y va, dans cette grotte? s'impatiente Antony.

— Oui! Allons-y! crie Kumba.

La guide distribue alors les combinaisons de spéléologues et les casques de protection.

— Ce sont des vraies combinaisons? l'interroge Kumba.

— Mais bien chûr.

— Cool! s'exclame Léa en brandissant un des casques et en allumant la petite lumière sur le devant. Comme dans les films!

— Oui, ch'est important parche que, dans la grotte, il n'y a que l'éclairage naturel. Ch'est donc très chombre. Cha prend des lampes frontales.

— Nous devons mettre aussi ces combinaisons? demande Émily.

« Elles sont horriblement bleu sale! »

— Oui! Bien chûr qu'il le faut! répond la guide. Mais gardez vos chandails chauds en dechous. Dans la grotte, il ne fait que quatre degrés!

— COOL! Allez! lance Antony. Tout le monde met sa combinaison!

« Ouais ouais », se dit Émily, qui a de moins en moins envie de se glisser dans la boue pour voir des « concréchions » en se gelant les pieds.

— C'est MUSTI cool!!! se réjouit Emma en enfilant sa combinaison. Je capote!!!

— Vous êtes prêts?

— OUI!!! répondent en chœur tous les membres du groupe.

— Moui, couine Émily.

— Oh, allez, Émily! On va avoir du fun!

— J'ai l'air d'une grosse patate dans ma combinaison.

— T'es vraiment plate! dit alors Emma. On s'en fout, de quoi t'as l'air!

« Suis-je plate? » s'interroge Émily en suivant les autres qui avancent à la queue leu leu vers l'entrée de la grotte.

L'été dernier, lors de son dernier passage au chalet, Marie-Pier était vraiment rabat-joie, au grand désespoir d'Émily. Elle ne voulait plus jamais se baigner parce qu'elle craignait de se décoiffer. Elle ne voulait plus attraper des grenouilles. Et elle trouvait Émily bébé de vouloir faire des activités à la plage.

« Suis-je devenue comme Marie-Pier? pense Émily avec horreur.

« OH… MON… DIEU!

« Est-ce que devenir plate, ça s'attrape avec l'adolescence? »

Émily sent dans son ventre le début d'un tournimini.

— Excuse-moi, Emma. Tu as raison, je suis plate, chuchote-t-elle à son amie. Je vais faire attention.

« Je vais combattre la marie-pierattitude. »

Mais Émily n'a pas à se battre très long-temps contre sa mauvaise foi. Au moment où elle met les pieds dans la grotte, elle écarquille les yeux et ouvre la bouche de surprise.

« OH… MON… DIEU ! »

— Coooool, dit Kumba.

— On va vraiment descendre là-dedans ? s'inquiète Antony.

— On y va ! On y va ! l'encourage Léa.

— Che que vous voyez, che chont les premières concréchions. Vous challez en voir pluchieurs chautres, puichque nous challons prendre l'autoroute de la calchite.

— De la calchite ? répète Max.

— De la calcite, précise Emma. C'est musti génial !

— Comment ça se fait que tu connais ça, toi, la calcite ? l'interroge Émily.

— Ben, tout le monde connaît ça, la calcite.

— Heu… non, Emma.

— Les roches solubles les plus connues, c'est les roches de calcaire. Alors, dans une grotte, c'est normal de retrouver du calcaire !

— Je comprends rien, fait Émily en levant les yeux au plafond.

— Ben, c'est l'eau qui fait les grottes ! Hein, madame ? C'est bien l'eau qui creuse les trous ? demande Emma en haussant la voix.

— Oui, che chont des infiltrachions d'eau.

— Emma, tu devrais être guide plus tard ! déclare Antony avec une pointe d'ironie.

— Oh oui, j'aimerais vraiment ça!!! répond Emma avec entrain.

— Mais tu peux pas, Emma! chuchote Émily.

— Pourquoi??

— Tu chuintes pas! Hahahaha!

— Pfff.

— Ouvrez vos lampes frontales, ch'il vous plaît. Nous challons nous chenfoncher dans la grotte.

— *Yess!* dit Antony.

Émily et ses comparses suivent la guide en silence jusqu'à une passerelle en métal.

— Nous challons monter ichi pour churplomber un puits de douje mètres.

— Wow!

« Oh non, pense Émily. On est dans une grotte! SOUS la terre! Je peux pas croire que je vais avoir le vertige SOUS la terre!!! »

Elle monte sans enthousiasme les premières marches de la passerelle. Comme elle le redoutait, les marches sont espacées, et elle voit le vide sous ses pieds à chaque pas.

« Oh… mon… Dieu! »

— Plusieurs chanimaux chont tombés dans ce puits au cours des années. Chette chute est fatale, puichque les chanimaux che cachent la colonne en tombant.

« OH… MON… DIEU! »

— Emma… je capote, souffle Émily en agrippant la rampe et en stoppant net.

— Pourquoi tu n'avances plus, Émily ? demande Kumba derrière elle.

— Hé ! Ça bloque en avant, crie Antony, derrière.

— Oui oui, minute, minute ! fait Émily en se mordant les lèvres.

— Qu'est-ce qui se passe ?

— Elle a le vertige, du calme, dit Emma. Prends ton temps, Émily. Fais-le à ton rythme.

— Ok.

Émily inspire profondément.

« C'est pas vrai que je vais avoir l'air bébé devant tout le monde juste parce que j'ai le vertige dans une grotte !!! »

Marche après marche, lentement, elle parvient à se hisser de plus en plus haut.

— Eh ben, on a le temps en masse d'apprécier le paysage, lance Antony.

— C'est fou comme on découvre des choses en regardant les marches d'une passerelle de métal, renchérit Kumba en riant.

— Ou en regardant un trou noir, ajoute Max.

— Ça développe l'imagination.

— Moi, je remarque que les marches sont absolument toutes identiques.

— Arrêtez, bande d'idiots ! s'écrie Émily en esquissant un sourire.

— Non, c'est vrai. Moi, j'aime ça, prendre le temps de vivre, poursuit Antony, moqueur.

— Tu veux dire : au rythme «escargot»?

— Ralentis, Émily. Y a rien qui presse, dit Max, taquin.

— Vous êtes nonos, déclare Émily qui rit franchement maintenant, tout en terminant de monter les marches une à une.

— Ris pas trop, Émily, ça pourrait te retarder.

— Hahahahahaha!

ÇA Y EST! Elle est arrivée en haut!

— Wahou! J'ai monté une passerelle! se réjouit-elle en secouant ses doigts crispés sous l'effet de la peur.

— Attenchion. Nous challons maintenant pacher par la fichure pour enchuite nous rendre à la galerie des chourches.

— Des ours!?

— Rachurez-vous. Il n'y a pas d'ourches ichi. Cheulement, il y a pluchieurs channées, des ourches chont venus ichi.

Le groupe suit alors la guide qui s'avance dans le tunnel devant eux. Rapidement, tout le monde doit s'accroupir et même ramper pour la suivre.

«Tu parles d'une grotte, se dit Émily. Après les hauteurs, les tunnels!»

— Attenchion, rechtez calmes, avertit la guide.

— C'est vrai que c'est un peu… étouffant? lance Antony.

« Oh… mon… Dieu! »

— Outre les ours, y a-t-il des animaux dans les grottes? demande Emma.

— On a trouvé des chquelettes d'ourches, de cachtors, de porc-épics et même d'orignaux. Mais il y a eu auchi des petits chanimaux comme les mucharaignes ou les lemmings.

— Les musaraignes, c'est comme des souris, c'est ça?

— Oui, ch'est comme des chouris.

— Des chouris!!! répète Max, inquiet.

— Tu as peur des souris? l'interroge Léa, avec un sourire en coin. Un gars bâti comme toi?

— Ben non, pas du tout, c'est juste que… Hé!

« Ça y est, on est coincés! s'affole Émily. Oh non! »

— Quelque chose m'a frôlé la tête! crie Max.

— Ben non, c'est juste une stalactite, dit Kumba en riant.

— J'ai été attaqué par une concréchion! conclut Max en rigolant aussi, soulagé.

« Ouf! »

— Oui, vous devez faire attenchion au plafond!

« Pour une fois que ce n'est pas juste moi qui ai des problèmes avec les plafonds ! » songe Émily.

— D'ailleurs, nous chommes prechque arrivés au bachin de lait de lune, poursuit la guide.

— Un bassin de lait de lune ? ! s'exclame Emma, émerveillée.

— Oui, vous challez voir.

Parvenue au bout du tunnel, Émily aperçoit un énorme puits rempli d'une substance blanche. Avec l'unique éclairage des lampes frontales, l'effet est vraiment époustouflant.

— Wow…, glisse Léa.

Émily est bouleversée. Elle n'a jamais vu quelque chose d'aussi étonnant et magnifique.

« Il ne manque qu'une licorne ! »

— C'est vraiment du lait ? murmure Antony.

— Non, ch'est le calcaire qui donne chette couleur à l'eau… Ch'est beau, n'est-che pas ?

— Ce n'est pas juste beau… c'est magique ! dit Emma, en extase.

— Et toute cette beauté est cachée sous la terre ! s'étonne Kumba. Personne ne peut la voir !

Émily pense alors à madame Gentilly qui l'exhorte toujours à ne pas garder son don pour elle. À le faire résonner pour les autres.

— Allez, hop, tout le monde ! On s'y baigne ! lance Antony.

— FRANCHEMENT ! répondent en chœur Emma et Émily.

— C'était une blague…

13.

— J'ai peur, Emma! Et si on tombait malades?

— Ben nooooon.

— T'es certaine que c'était des fleurs comestibles?

— OUI!

Émily et Emma sont avachies dans la clairière. Elles ont passé la matinée dans le bois avec les autres pour le grand jeu en forêt. Or, Emma s'est extasiée devant un tapis de violettes sauvages, et les deux amies en ont MANGÉ.

Maintenant, Émily a l'impression d'être intoxiquée.

— Regarde dans mon livre, dit Emma en pointant du doigt la page où il est question des violettes sauvages. C'est écrit: COMES-TIBLES.

— J'aurais jamais dû t'écouter. J'ai mal partout !

— Ben là, une intoxication alimentaire, ça fait pas mal partout. Juste au ventre.

— Tu le sais pas !

— Si tu as mal partout, c'est plutôt à cause de la grotte.

— Heu… le lien, Emma ?

— Ben… tu as tellement des grandes jambes ! Alors, ramper et t'accroupir, ça a dû te demander plus d'efforts qu'aux autres… Tu en as plus long à plier.

Émily lève les yeux au ciel.

— Non, Emma. Moi, je pense que tes fleurs vont nous rendre malades. Je capote ! Et si ça affectait ma voix ? ?

— Tu t'inquiètes pour rien, répond Emma en plongeant de nouveau son nez dans son livre. Fais-moi confiance.

Émily prend une grande goulée d'air. C'est vrai. On peut vraiment se fier à Emma. N'est-elle pas l'élève la plus intelligente de tout Saint-Prout ?

— Allez, tout le monde ! Rassemblement musical ! crie madame Boisvert à l'autre bout du terrain.

— Chouette ! s'exclame Émily.

— Est-ce que tu penses vraiment que je pourrais devenir critique musicale ? demande

Emma en suivant Émily vers la maison principale.

— Ben…

Comment dire?… Emma a de multiples talents, mais le talent musical lui fait vraiment défaut. Alors…

« Je ne suis pas pour lui dire que je trouve qu'elle chante comme un tuyau bouché! »

— Je pensais que tu voulais devenir une grande scientifique, dit Émily.

— Ah, c'est sûr! Je VAIS être une grande scientifique. Mais je pourrais AUSSI, en même temps, être critique musicale.

— Ouais…

— Tout le monde croit que je suis vraiment critique ici.

— Je sais, rigole Émily.

— Je m'en suis plutôt bien sortie, hein?

— Oui! Héhé.

Emma sourit et part en courant pour aller chercher son carnet de notes afin d'assister à la répétition en tant qu'observatrice. Mais elle revient aussitôt sur ses pas en criant :

— Émily!!! Émily!!!

— Quoi? Qu'est-ce qui se passe?

— Les fleurs!!! fait Emma en tentant de reprendre son souffle. Les fleurs!!!

— QUOI?

— C'est musti épouvantable! T'avais raison!

— DE QUOI??? s'étrangle Émily qui sent la panique la gagner.

— Elles étaient dangereuses!!!

— NON!!!

— OUI!!! C'est de la drogue! s'écrie Emma.

— HEIN!?

— OUI!!!

— OH… MON… DIEU! Mais pourquoi tu disais tantôt que…

— Parce que c'était pas écrit dans mon livre! l'interrompt Emma, en pleine crise de nerfs.

— Qui te l'a dit alors?

— Personne!!! Mais j'ai des hallucinations! C'est épouvantable!

— Des hallucinations!? dit Émily en posant sa main sur son cœur.

« OH… MON… DIEU! pense-t-elle en regardant partout autour d'elle. Qu'est-ce que je vais voir??? Une immense clé de sol? Une araignée géante? »

— Qu'est-ce que tu as vu? demande Émily, terrorisée.

— LE CHUNG!!!

— Non!?

— Je te le dis! Il était devant notre bungalow, assis sur les marches. Il avait l'air musti vrai.

— Wow, capoté!

— Ouais…

C'est la première fois qu'Émily prend de la drogue. Enfin, ce qu'elle pense être de la drogue.

« Je suis une droguée ! »

— Hé ! Ça y est ! J'ai mon hallucination, fait Émily, soulagée.

— C'est quoi ??

— Ben, je vois le Chung, moi aussi. Seulement, moi, je le vois pas sur les marches. Il avance vers nous et nous sourit.

« Fiou. Je verrai pas d'araignée géante. Je vois juste le Chung. Top moins épeurant. »

— Hé, pourquoi on voit le Chung quand on mange des violettes ? poursuit-elle, perplexe.

— Je sais pas, répond Emma qui voit elle aussi le Chung s'approcher.

L'hallucination-Chung leur envoie maintenant la main.

— Heu… Emma… est-ce que tu vois la même chose que moi ?

— Émily ! Est-ce qu'une hallucination peut devenir vraie ?

« OH… MON… DIEU !

« C'est le vrai Chung ! LE VRAI ! »

— C'est le vrai Chung !!! s'écrie Émily en reculant.

— Salut, les filles ! lance Elton. Qu'est-ce qui se passe ? On dirait que vous avez peur de moi !

— ELTON ! Qu'est-ce que tu fais ici ? l'interroge Emma, blanche comme un linge.

— Je suis en vacances avec ma famille dans le coin. Je me rappelais que tu participais à un camp musical ici, pis j'ai demandé à mes parents d'arrêter pour voir.

Elton est tout souriant de son sourire à broches.

— Vous êtes donc ben bizarres, les filles, dit-il.

— Heu… répond Emma.

— Inquiète-toi pas, je resterai pas long-temps. Je fais juste passer. Je voulais vous faire une surprise. Mais je peux repartir tout de suite, si tu préfères.

— Heu… non. Non !

Émily éclate alors de rire.

— HAHAHAHAHAHA !!! C'est trop drôle ! HAHAHAHAHA. Elton ! HAHAHAHAHA !!!

— Pourquoi tu ris ? demande Elton en haussant un sourcil. C'était une mauvaise idée ?

— B… ben non, ben non, begaie Emma. On est juste… heu… surprises !

— Mais c'était justement ce que je voulais, vous faire une surprise.

— Hahahahahahahahaha !

— Arrête de rire, Émily, ordonne Emma avec sérieux.

— Scuse. Hahahahahaha! C'est juste que je revois ton visage quand tu es arrivée en criant que c'était les violettes!

— Je te ferais remarquer que, toi AUSSI, tu as pensé que c'était les violettes.

— Quelles violettes? fait Elton.

— On a mangé des violettes sauvages tantôt, explique Émily.

— Et ÉMILY a pensé qu'elle s'était intoxiquée. Mais, moi, je savais que…

— On a pensé que les violettes nous avaient droguées et que tu étais une hallucination.

— Hahahahahaha! s'esclaffe Elton. Ok! C'est pour ça que vous aviez l'air d'avoir vu un fantôme!

— Ouais. Hahahahahahaha!

Émily se tient les côtes en riant avec Elton, mais Emma n'arbore qu'un sourire crispé.

«Pauvre Emma! Elle est vraiment paralysée de timidité devant son Chung!»

Émily songe que si William était venu jusqu'ici pour la voir, elle porterait probablement une camisole de force à cause du stress à l'heure qu'il est.

— On se prépare à jouer en orchestre. Veux-tu venir voir? propose Émily.

— Oui, ok! Mes parents m'ont donné une demi-heure, alors…

— Ils sont où?

— Ils parlent avec une femme à l'entrée du camp.

— Ils sont donc ben cool d'avoir accepté de venir ici ?

— C'était sur le chemin. On s'en va faire un tour à Percé avant de rentrer en ville.

— Oh.

Emma n'a toujours pas bougé. Elle garde son sourire bizarre en fixant Elton. On dirait le visage étrange d'un clown. Un visage souriant, mais complètement débile.

— La directrice m'a dit tantôt que tu étais la critique musicale du camp, c'est vrai ? demande Elton, visiblement impressionné.

— Ah ? Heu… ben, pas vraim…, répond Emma avant de sentir sur ses orteils le poids du pied d'Émily. Oui, en fait, enchaîne-t-elle, je suis… hum… critique musicale. Hum.

— Ça consiste en quoi ?

— Ben… heu… je prends des notes.

— Les *do* ou les *mi* ? dit Elton.

Emma le regarde sans réagir.

— Tu as dit que tu prends des notes. Des NOTES !

— Ah oui ! Hahahahaha ! fait Emma en riant exagérément et en s'étranglant presque.

« Ouah. La blague est drôle, mais pas à ce point-là… », songe Émily,

— Elle est VRAIMENT bonne ! insiste lourdement Emma. Hein, Émily ? Elle est bonne, hein ? *Do*, *mi*… Hahahahahahaha !

Elton rit aussi.

« Oh… mon… Dieu !

« Emma a de nouveau perdu son cerveau ! »

— Bon, ben, faudrait y aller, hein ? lance Émily.

— Oui, je vais aller PRENDRE DES NOTES. Hahahahaha !

« OH… MON… DIEU !

« Une chance qu'Elton repart tantôt, pense Émily. Parce que la survie en forêt dépend vraiment des neurones d'Emma. Et là, ses super neurones sont à *off*. »

14.

De : Émily Faubert (emilfaubert@hotmail.com)
À : William Beauchamp (willskate@gmail.com)
Objet : Pis ?

Salut, Will ! Comment se passent les vacances de ton côté ? Ici, on a visité une grotte. Est-ce que tu sais c'est quoi, des concrétions ? Et on a descendu des rapides ! C'était cool ! ! Emma est devenue critique musicale.

Bon ben c'est ça.
Émily

Salut, ma loulou ! Je voulais juste te dire
un petit coucou ! J'espère que tout se passe bien
à ton camp.
Donne-moi des nouvelles si tu as deux petites
minutes.

Je t'aime.
Maman xxx

15.

— C'était SUPER!

— Débile!

— Malaaaade!

Les musiciens courent sur la plage déserte qui longe la mer, en criant et en sautant partout. Ils viennent de donner leur premier concert de tournée dans le village voisin du camp. Et le public a demandé des rappels.

Des rappels!!

— Ce que tu as chanté était génial, Émily! dit Léa en s'écrasant sur le sable. Génial!

— Oui, mais ta guitare aussi! On aurait dit que ta guitare était une voix. Que ta guitare chantait!

— Moi, ce qui m'a fait triper, c'est quand le public s'est levé pour danser pendant le funk.

— Mets-en!!! lance Antony. J'avais le goût de lâcher mon sax pour danser, moi aussi!!!

— Hahahahahaha !

— Kumba ! Trop bonne idée de chanter en africain !

— C'était en lingala. Pas en « africain ».

— C'est vraiment cool comme langue, le ling ling.

— Le LINGALA.

— Et ça te va vraiment bien.

— C'est sûr que ça me va bien, c'est ma langue ! rigole Kumba.

— Hé ! Max ! Qu'est-ce qui s'est passé pendant le hip-hop-jazz ? demande Antony.

— Je sais paaas !! On dirait que la console m'a lâché !

— Trop drôle d'entendre Emma faire des « poum poum » en attendant !!!

— Je me suis dit que j'allais vous aider ! répond Emma en éclatant de rire.

— Oui, mais ta façon de sauter nous rejoindre en faisant « poum poum »…, ajoute Émily. J'étais plus capable de chanter, tellement je riais.

— Je sais ! Moi-même, j'avais de la misère à garder mon sérieux !

— Mais est-ce que ta console est brisée, Max ? s'inquiète Léa.

— Non. Je sais vraiment pas pourquoi elle s'est arrêtée tout d'un coup.

— Moi, je dis que c'est Emma qui l'a débranchée, juste pour pouvoir venir sur la scène !

— Ben là ! s'exclame Emma.

— Eille, c'est vrai ! Elle est petite, discrète. Elle aurait pu faire ça sans que personne s'en aperçoive ! dit Max en la pointant du doigt.

— JAMAIS j'aurais fait ça ! proteste Emma.

Tous éclatent de rire avant de regarder la mer en souriant.

— C'est beau, hein ?

— Vraiment.

— Pensez-vous qu'on peut voir des baleines ? demande Émily.

— Je pense pas.

— On peut peut-être voir des méduses flotter ?

— Ou des dauphins ?

— Non, pas des dauphins, répond Emma. L'eau est trop froide ici.

— Ben, c'est la baie des CHALEURS.

— Oui, mais…

— Coudonc, quel genre de mer que c'est, d'abord !? Pas de dauphins. Pas de baleines. Pas de méduses…

— Hé ! J'ai trouvé une coquille de crabe ! annonce Léa en la brandissant.

— Ah, ben, une mer de crabes, ça a l'air.

— Il est vide, ton crabe.

— Ben oui, innocent. J'ai dit « coquille » !

— Les oiseaux ont dû bouffer la chair.

— Méchant snack de mouettes. On est loin des patates frites que mangent les nôtres en ville…

— J'ai une idée!!! fait Antony. On devrait se servir de la coquille pour recueillir des sous!

— Hein?

— Ben oui! Comme les musiciens dans le métro!

— Mais on n'est pas dans le métro, corrige Léa. On est sur le bord de la mer!

— Je le SAIS! Mais, demain, on repart en tournée, pis c'est plein de touristes ici! On devrait l'apporter, la déposer par terre et jouer pour les passants pendant notre heure de dîner. On se ferait peut-être un peu d'argent!

— OUAIS! Super bonne idée! dit Max.

— Je suis pas certaine que madame Boisvert va être d'accord!

— Ben oui. Juste pour rire. C'est une expérience de musicien comme une autre. On le fait! insiste Antony.

— Moi, je suis d'accord, lance Émily, enthousiaste.

Les amis gardent le silence un moment. Le soleil commence à décliner à l'horizon, et la mer se teinte lentement de fuchsia.

— Émily! Regarde Léa et Antony! chuchote Emma.

Les deux adolescents se sont rapprochés et se tiennent la main. Émily sourit. Elle savait bien que ces deux-là se chamaillaient trop pour ne pas cacher quelque chose.

Il faut dire que le paysage est propice aux rapprochements.

— Dommage que le Chung soit reparti, soupire Emma avant de s'étendre sur le sable.

«Pourquoi William ne me répond-il pas?» s'inquiète Émily, qui se sent soudainement très seule sur cette plage rose.

14.

— Tu es sûre que c'était une sangsue?

— Sûre!

Émily, Emma, Kumba et Léa se dirigent vers leur bungalow, après un bain de nuit en cachette avec les garçons d'à côté. Elles ont les cheveux trempés et empruntent le sentier en grelottant. Les nuits se rafraîchissent. C'est bientôt la fin de l'été.

— Mais il y en a pas, de sangsues, dans la rivière, Émily! Les sangsues, ça se tient dans les lacs!

— C'était peut-être un poisson-vidangeur, comme dans les aquariums? présume Kumba.

— Hein?

— Oui, tsé, les poissons qui ont des grosses bouches? dit Léa. Ils passent la journée collés dans la vitre, ces poissons-là!

— Aaaah oui !

— Peut-être que c'est un poisson-vidangeur qui s'est collé sur ta cuisse.

— Ben non.

— Moi, je pense plutôt que c'était une feuille, déclare Emma. Mais, dans le noir, tu as pris ça pour une sangsue.

— Je sais ce que je sais, les filles, répond Émily. J'avais une sangsue sur ma cuisse.

En fait, elle n'en est pas si sûre, mais elle a vraiment eu l'impression de se faire sucer le sang. Brrrr.

« À moins que ce soit la "chose"? Ou… un vampire? Oh… mon… Dieu! Un vampire? Ici? À Étoiles et Sons? Qui ce serait? Madame Boisvert? »

— Est-ce que les vampires peuvent se transformer en sangsues? demande Émily.

— Heu… le lien, s'il te plaît? fait Emma.

— Ben, au lieu de se transformer en chauves-souris, genre?

— Oh! Je sais pas.

— En tout cas, je suis contente de rentrer, maintenant.

— Il est quelle heure, vous croyez? lance Emma.

— Vraiment tard. Genre deux heures du matin, peut-être…, répond Kumba.

— Oh, mon Dieu! On va être fatiguées pour le spectacle, demain.

— Je peux pas croire que ce sera la dernière fois qu'on jouera ensemble, dit Émily.

Le petit groupe garde le silence quelques instants en suivant le sentier. Les quatre amies redoutent la fin du camp musical. Après cette dernière étape de tournée, l'aventure sera finie. Il faudra se quitter et retourner en ville.

— Au moins, on a le trajet en train à faire ensemble.

— C'est vrai.

— Pensez-vous qu'on va se revoir? demande Kumba tristement.

— C'est sûr!

— Mets-en.

— Moi, je dis qu'on va devenir des musiciennes super célèbres et qu'un jour, on va partir en tournée internationale ensemble! affirme Émily.

— Oh oui! Ce serait cool!

— Je pense que le soleil va se lever bientôt, dit Léa. On reste dehors pour le voir?

— Ok. Hé, est-ce qu'on avait laissé la porte du bungalow ouverte en partant? fait Émily en tendant la main vers le bout du chemin.

— Non.

— Ben, la porte est ouverte…

Les quatre filles se regardent.

«Oh… mon… Dieu! La "chose"!?»

— Ben… je pense qu'on l'a laissée ouverte, oui, lance Kumba d'un ton mal assuré. On était tellement énervées de se lever en pleine nuit pour aller faire peur aux gars…

— Il me semble que non, moi! souffle Émily d'une petite voix.

— On va bien voir, dit Léa en entrant la première.

— Allume la lumière! supplie Émily.

— Attends. S'il y a un animal, je veux pas lui faire peur…

— UN ANIMAL???

— Ben oui. Il y a des animaux qui sont capables d'ouvrir des portes.

— Bah. NON!

— Oui, les ratons laveurs, précise Emma. Ils ouvrent même des poubelles. Et des portes-moustiquaires! C'est à cause de leur pouce préhenseur et…

«Oh… mon… Dieu!»

Les trois autres filles suivent Léa dans le bungalow, en marchant sur la pointe des pieds.

— Y a rien, assure Kumba. On a juste oublié de fermer la porte tantôt.

— Ouais.

Léa allume la lumière. C'est alors que quelque chose de noir bondit en poussant un cri.

— OH, MON DIEU, QU'EST-CE QUE C'EST QUE ÇA?!! hurle Émily.

L'animal vole autour de la pièce en se cognant partout. Il s'agite de façon complètement chaotique. Émily se protège la tête, paniquée.

— Mais qu'est-ce que c'est ? s'écrie Kumba, les yeux ronds.

— Je crois que c'est une… c'est une… .

— C'est une CHAUVE-SOURIS ! ! ! dit Léa.

— AAAAAAAAAAAAH ! ! ! NON ! ! ! ! !

— COOL ! ! s'émerveille Léa.

« OH… MON… DIEU ! Une chauve-souris. Une vraie. Dans notre bungalow ! »

— Elle est folle ! Qu'est-ce qu'elle fait ? ? crie Kumba en se recroquevillant pour éviter que l'animal la heurte en plein visage.

— Mais c'est donc ben excité, une chauve-souris ! hurle Emma.

— Ce sont les ailes qui battent vite, fait Léa, ébahie.

— OH, MON DIEU ! Une chauve-souris ! ! !

— Elle va nous frapper ! dit Emma.

— Elle va nous mordre !

— Aaaaah ! s'exclame Émily.

— Regardez ce qu'elle fait ! ! ! lance Emma.

La chauve-souris parcourt l'espace à une vitesse effrénée en frappant de plus en plus d'objets. Elle s'écrase sur les murs, change de trajectoire, bat des ailes frénétiquement en brisant tout sur son passage.

— ELLE VA VRAIMENT VITE! hurle Émily en posant ses mains sur ses oreilles et en se couchant sur le sol.

— QU'EST-CE QU'ON FAIT? crie Kumba.

— ATTENTION À VOS CHEVEUX! les préviennent Max sur le seuil de la porte en tentant de couvrir le bruit de l'animal. Il ne faut pas qu'elle s'agrippe à vos cheveux!

«OH… MON… DIEU! C'est vrai!!!»

— Tout le monde les mains sur la tête! dit Antony.

Émily remarque que tous les garçons du bungalow d'à côté sont sur le seuil en pyjama et gesticulent dans tous les sens.

— Léa! Couvre tes cheveux! La chauve-souris peut être attirée par le bleu!!!

— Pensez-vous que c'est un vampire? demande Léa avec un grand sourire. Viens ici, viens ici, fait-elle en levant le bras.

— T'ES MALADE, LÉA?

— Calmez-vous, conseille Emma. La chauve-souris est complètement paniquée. Elle va se faire mal à se cogner partout. Tassez-vous, les gars!! Et taisez-vous!

L'animal semble en pleine crise de nerfs. Elle se heurte contre les quatre murs du bungalow et commence à s'épuiser.

— Il faut la faire sortir, lance Kumba.

— Attention à vos cheveux, répète Max.

— Bon, les gars, retournez dehors, s'il vous plaît, ordonne Emma sur un ton autoritaire.

— Mais c'est dangereux !

— Il faut fermer la lumière, dit encore Emma.

— ES-TU FOLLE ???

— Écoutez-moi ! Arrêtez de crier, calmez-vous et faites ce que je dis !

Kumba s'assoit à côté d'Émily en se protégeant les cheveux. Léa, quant à elle, regarde, fascinée, l'animal qui montre de plus en plus de signes de fatigue.

— Viens, petit vampire…, souffle Léa.

« Oh… mon… Dieu !

« C'est peut-être pour moi qu'elle est là ! Après la sangsue, la chauve-souris !!! »

— C'est peut-être madame Boisvert !!! crie Émily.

Emma éteint la lumière. La chauve-souris se calme automatiquement. Elle commence par se poser dans un coin, puis, après avoir repris ses esprits, elle s'envole tout simplement par la porte.

— Hé ! se réjouit Kumba. Ça a marché !!

— Elle est partie ?

— Ben oui !

— On l'a vue sortir ! lance Antony en passant sa tête par la fenêtre. Ça va, les filles ?

— C'était quoi, ton lien avec madame Boisvert ? demande Emma à Émily.

— Elle est vraiment partie? fait cette dernière, ignorant la question de son amie.

— Elle ne trouvait pas la porte avec la lumière, dit Emma en s'assoyant sur un des lits, épuisée.

— Hein?

— On était tellement paniquées qu'on a oublié que les chauves-souris se repèrent avec un sonar. Comme les dauphins.

— Donne-nous une pause, Emma, ok? la supplie Émily. Juste le temps de nous calmer les nerfs…

— Elle était belle! s'exclame Antony en se frottant les mains.

— Tu as eu le temps de l'observer, toi? Elle allait tellement viiiite!

— Vous pensez que c'était un vampire? demande Émily.

— Bien sûr, affirme Emma avec un grand sourire.

— Il est venu pour Émily, ajoute Kumba en riant.

— JE SAIS!!! répond Émily, tremblante.

— Ben non, je blague. Voyons.

— J'ai peut-être du sang qui sent super bon, comme Bella dans *Twilight*?

— Moi, je pense surtout que tu as beaucoup d'imagination, réplique Kumba.

— Wow, les filles! Une vraie chauve-souris! dit Max.

« Cette nuit, je dors toute HABILLÉE et avec mon FOULARD autour du COU, c'est CLAIR! » songe Émily.

16.

— Il m'a écrit juste deux mots la dernière fois. DEUX MOTS! Et puis, plus rien…, dit Émily.

— Il a peut-être pas le temps, répond Emma en compulsant ses notes pour rédiger son rapport.

— J'aurais peut-être pas dû lui écrire que j'avais hâte de lui raconter mieux. Il veut peut-être pas me voir…

— C'est sûr que tu vas peut-être un peu vite.

— Oh, c'est donc ben compliqué! grogne Émily en donnant un coup de pied dans la caisse devant elle.

— Eille! fait Max. Attention à mes haut-parleurs!

Les jeunes musiciens sont entassés dans le vieil autobus scolaire avec tout leur matériel.

Ils sont présentement en route pour le village d'Escuminac, le dernier de leur tournée.

« Escuminac ! ESCUMINAC ! Pourquoi pas Tic-Tac-les-Pétaques, tant qu'à y être ? »

— J'adore ça, être en tournée ! dit Antony en tapant un rythme avec ses paumes sur le banc devant lui. C'est vraiment la partie que je préfère de tout le camp. Même si je suis assis sur une caisse de haut-parleur... Dites-moi, on devait pas alterner pour que j'aie droit à un banc, moi aussi ? Pourquoi c'est toujours moi qui suis assis sur ce truc ?

Si elle n'était pas si inquiète du silence informatique de William, Émily pourrait dire, elle aussi, qu'elle adore être en tournée. Le transport en groupe, l'accueil des gens dans les villages, la joie d'être de nouveau devant un public, même si c'est un petit public...

Seulement, Will n'a pas réécrit depuis son dernier message. Et Émily est au comble du désespoir.

— Tu le sais, qu'il est pas bavard ! tempère Emma. C'est un peu normal qu'il ait pas écrit beaucoup, aussi !

— Quand même...

— HÉ !!!! crie Kumba en gardant les yeux baissés sur son cellulaire. Est-ce que quelqu'un a accès à Internet ?

Boing! Une bosse sur l'autoroute fait encore tressauter les voyageurs.

— Ayoye! Maudites bosses! marmonne Antony. Je vais finir par avoir les fesses érodées.

— Érodées?

— Aplaties, si tu préfères.

— RÉPONDEZ-MOI QUELQU'UN!!! crie de nouveau Kumba.

— Moi, dit Émily. J'ai mon iPhone avec moi. Qu'est-ce qui se passe?

— Je viens de recevoir un texto de mon frère. Écoutez ça!

— Quoi?

— Léa!

— LÉA! dit Antony en brassant l'épaule de son amie qui a ses écouteurs collés sur ses oreilles.

— Quoi? Qu'est-ce qui se passe?

— Kumba veut nous annoncer quelque chose.

— Mais je suis en train d'écouter *Don't cry*!

Léa aime les vieux groupes dont les chanteurs poilus ressemblent à des hommes des cavernes. Émily trouve que ces musiciens ont l'air… sales.

« Plein de bibittes. »

— Mon frère dit qu'il va y avoir une grosse téléréalité pour les ados qui veulent devenir chanteurs professionnels! s'écrie Kumba en gesticulant. Je veux savoir c'est quoi. Regarde sur Google, Émily !

Émily prend le iPhone dans son sac et tape quelques mots dans la fenêtre du moteur de recherche. C'est bien vrai. Il y aura un gros concours national télévisé appelé la StarAcAdo. Émily trouve tout de suite les informations uniquement en tapant les mots clés. Ça veut dire que le projet est connu sur Internet.

« Oh… mon… Dieu ! »

Un concours pour devenir chanteuse professionnelle ? C'est exactement ce qu'il lui faut !

« En plus, je passerais à la télé ! Youpi ! Youpi ! »

— C'est vrai…, confirme-t-elle, exaltée, en lisant sur son iPhone. Les deux gagnants, un garçon et une fille, se verront offrir un contrat de disque et entreprendront une carrière professionnelle avec un gérant.

— AAAAAAAAAAAAAH ! crie Kumba.

— Je capote !!! Oh, mon Dieu, je capote.

— Que faut-il faire ? Que faut-il faire ? demande Kumba qui saute d'une banquette à l'autre pour enfin aller s'asseoir à côté d'Émily.

— Ayoye ! Encore une bosse, dit Antony. Je veux changer de place, bon !

— Il y aura une première série d'auditions en septembre. Et les douze chanteurs choisis…

Attends… l'autobus bouge trop, j'ai de la difficulté à lire.

— Mets-en que ça bouge, râle encore
Antony. Je te le dis, j'aurai plus de fesses rendu
à Escumifesse.

— Hahahaha! Escumifesse, s'esclaffe Léa.

— Change de place avec moi, exige Antony.

— Non. Pas question. Je suis très bien sur
mon banc avec Guns N' Roses.

— Est-ce que c'est vraiment à la télé? lance
Max en se penchant lui aussi au-dessus
d'Émily.

— Heu…, répond cette dernière en tentant
de lire alors que les phrases sautent devant elle.
Oui. Les douze chanteurs choisis habiteront
dans la même maison pendant trois mois…

— Ayoye, les bosses!

—… afin de parfaire leur talent, sous l'œil
des caméras. OH, MON DIEU, je capote.
EMMA!!! As-tu entendu ça!?

— Ça y est, je vais être célèbre, déclare
Kumba en s'adossant, tout sourire.

— ON va être célèbres!!! rectifie Émily avant
de lancer un grand cri. YAHOUUUUUUUU!

— Parce que vous êtes certaines d'être
choisies? intervient Antony en grimaçant de
douleur.

— Mais bien sûr, répondent-elles en chœur
avant d'éclater de rire.

— Non, ça sera moi ! dit Émily en rigolant.

— Non, ce sera moi ! rétorque Kumba en lui adressant un clin d'œil.

— Non, moi !

— Je vais te mettre de l'acide ascorbique dans ton verre de jus ce soir.

— Je vais te faire avaler des chardons.

— Je vais faire du vaudou.

— Oups. Heu… quoi ?

— Je vais te jeter un sort à l'africaine.

— Oh.

— Je vais t'aider pour les auditions ! crie Emma à Émily avec enthousiasme.

— Injuste ! fait Kumba.

— C'est vrai que tu es maintenant une critique de musique, la taquine Émily.

— Eh oui, répond Emma en souriant.

— On est arrivés, lance madame Boisvert.

— ENFIN ! s'exclame Antony en se levant péniblement.

— Prenez vos choses, on descend, poursuit madame Boisvert. On a juste une heure pour s'installer avant le spectacle, alors on se grouille, les stars.

Déjà le dernier village. Et demain, il faudra penser à rentrer en ville.

Avec le silence de Will, la fin de l'été qui se dessine et la peine qu'elle éprouve à l'idée de quitter ses nouveaux amis, Émily se réjouit d'avoir aujourd'hui une bonne nouvelle à laquelle s'accrocher. Une téléréalité…

StarAcAdo.

Peut-être que cette fois… cette fois sera la bonne ?

17.

Et je rêve encore,
J'ai toujours espoir
Que l'amour n'est pas mort
Sous les marées noires.
— Alpha Rococo, *L'amour n'est pas mort*

Ça y est. C'est le retour à Saint-Preux (Saint-Prout). Émily est de nouveau vêtue de son uniforme vert.

« Hé, on dirait que les première secondaire sont encore PLUS petits que l'année passée ! Est-ce qu'ils rapetissent chaque année ? Ouin, C'est peut-être moi qui grandis… OH NON, je grandis encore ? Pitié. Forces de la nature. Stoppez ma croissance. »

Émily évite de justesse deux nouveaux qui courent dans tous les sens, puis se dirige vers « sa » table de la cafétéria avec son plateau.

Maintenant qu'elle est en troisième secondaire, elle a l'impression de faire partie des meubles du pensionnat. Elle garde sa jupe roulée à la taille malgré l'interdiction. Chut !

— Eh ! crie Émily alors qu'un élève de première secondaire vient de lui foncer dessus.

— Scuse.

« Faut vraiment être BÉBÉ ! »

Émily aurait pourtant envie, elle aussi, de courir partout en criant : « AAAAAAH ! » Ce premier jour d'école souligne le retour de William après une année passée dans un autre établissement.

« Oh… mon… Dieu !

« Pourvu qu'il vienne AU MOINS s'asseoir à notre table comme avant…, se dit Émily en sentant une bouffée de stress lui monter au nez. Et pourvu que je n'aie pas le nez rouge comme un piment jalapeno ! »

Comble de malheur, Émily n'a eu aucun cours avec William de toute la matinée. Il faut dire que la journée a commencé avec la présentation des cours optionnels. Quant aux discours de bienvenue, eh bien… Émily les a RATÉS.

Elle est arrivée en retard pour la première fois un jour de rentrée.

« Peut-on être encore plus top bop nulle ? »

Après une nuit blanche à tourner dans son lit comme un poulet rôti sur sa broche, elle s'est endormie à l'aube... pour se réveiller à 8 h 30!!! Et sans réveil!

Elle n'aurait jamais dû changer son réveil-vache pour un réveil moins bébé. Au moins, le réveil-vache sonnait, lui! Heu. Il meuglait!

Son nouveau réveil, un « réveil d'adulte en devenir », n'a donc pas sonné. Résultat, Émily est arrivée tout échevelée, avec deux bas verts de différentes longueurs et l'estomac vide, pour se rendre compte que les discours de bienvenue étaient finis et que tous les groupes étaient déjà dans les classes.

« Situation maxi horribilis. »

Quels cours William a-t-il choisis? se demande Émily. Probablement les cours de sciences, comme Emma. (« Beurk. ») Émily a choisi tous les cours d'art, ainsi qu'un cours de débat oratoire pour avoir de la répartie.

Parce que la répartie, c'est TRÈS important pour se défendre dans la vie.

Mais Émily ne s'inquiète pas pour sa répartie ce matin. Quinze longs mois se sont écoulés depuis sa douloureuse rupture d'avec William. Quinze mois sans le voir. Presque autant sans lui parler. Et aujourd'hui, elle va enfin le revoir.

— Coucou! dit Emma en s'asseyant avec son plateau. Comment était ta fin d'avant-midi?

— Bof.

— Moi, j'ai adoré « Physique électrique » ! Tu aurais dû le prendre, toi aussi !

— Ah.

— On apprend comment passe le courant avec des patates !

— Des patates ?

— Oui ! Et puis, Simon est dans ce cours aussi.

— Simon ? fait Émily en cherchant de qui Emma peut bien parler.

— Simon Chouinard ! Il va venir nous rejoindre dans quelques minutes.

— Simon-Rejet ? Heu… tu vas bien, Emma ? Un coup de soleil ? Une montée de fièvre ?

— Arrête. Tu sais bien que je le trouve plutôt cool depuis Expo-Sciences. Il faut apprendre à le connaître, c'est tout. Il est même drôle, tu sais.

— Il est drôle même quand il postillonne ?

— C'est un vilain défaut, c'est vrai, mais c'est quand même quelqu'un de chouette.

— Coudonc, es-tu en train de tromper le Chung avec Chouinard ?

— Ben non ! Franchement ! D'ailleurs, as-tu remarqué, pour le Chung ?

— Ben, il était dans notre cours de débat oratoire ce matin… Pis il est venu nous parler du camp et…

— JE SAIS ! Youhou ! J'étais là, moi aussi ! ! !
Mais c'est pas de ça que je veux parler. Je veux
savoir si tu as remarqué quelque chose ! On a
pas pu en parler après…

— Parler de quoi ?

— As-tu remarqué ?

— Accouche, Emma !

— IL N'A PLUS SES BROCHES ! ! !

— Ah.

— Eille, t'es donc ben musti plate ce midi,
Émily Faubert ? C'est toute une nouvelle, de
ne plus avoir ses broches !

— Où est William, Emma ? Il vient pas
manger ?

— Aaaah, c'est donc ça ! dit Emma en pi-
quant la morue aux olives de sa fourchette.
Ben oui, il s'en vient, le beau William. Il fallait
seulement qu'il aille au secrétariat avant.

— Il a dit qu'il s'en venait ? ? ?

— Oui. Tu peux retrouver ta bonne humeur,
maintenant.

— Est-ce qu'il t'a parlé de moi ?

— Émily…, dit Emma en fronçant les
sourcils.

— Ah oui, c'est vrai. Tu veux pas être prise
entre les deux. Ok. Ok. Bon. Le Chung a fait
enlever ses broches. Est-ce que c'est beau ?
demande Émily qui sent l'enthousiasme lui
revenir.

— OUI! Musti beau.

— Il doit être tellement content de pouvoir manger du maïs en épi pis de croquer dans une pomme!

— Rapport?

— Salut! lance Simon en déposant son plateau à côté de celui d'Emma. Je peux me joindre à vous?

— Oui, bien sûr, répond Emma.

— T'es vraiment rendu grand! dit Émily à Simon Chouinard en souriant.

« Enfin un gars de mon année qui a eu sa poussée de croissance!»

— Ouais. Ma mère arrête pas d'en parler.

« Oups. Il n'y a pas que son corps qui a grandi. Ses cordes vocales aussi, visiblement.»

La voix de Simon passe de très aiguë à très grave dans le même mot. On dirait que chaque mot fait une chute de cent étages. Boum.

— Qu'as-tu fait pendant ton été? demande Émily pour faire la conversation.

« Quand William va-t-il arriver?»

— Je suis allé pêcher dans les Bahamas avec mon père, répond Simon en passant du quinzième étage au sous-sol vocal.

— Wow! s'exclame Emma.

— Et vous?

— Oh, on a failli se faire manger par un ours, répond Emma en prenant une bouchée de son plat. Et se faire découper en morceaux par une «chose». À part ça, rien de spécial.

— Hahahahaha!

«Oh… mon… Dieu! Le voilà.»

William vient de se faufiler dans la file de la cafétéria. Ses cheveux sont un peu plus longs, et les traits de son visage ont perdu un peu de leur aspect enfantin. Seulement lui, malgré sa poussée de croissance, il n'a pas l'air d'avoir un trop grand corps.

«Il est revenu, se dit Émily. C'est vrai. C'est bel et bien vrai. Oh… mon… Dieu! Et si sa voix avait mué, lui aussi?? Épouvanta-bilis?»

— Salut! Je peux? demande William d'une voix normale en pointant la table du doigt et en souriant.

«Ouf. Pas de mue en vue. William va-t-il muer un jour? A-t-il DÉJÀ mué? A-t-il une voix qui mue?»

— Tu es chez toi, Will! répond Emma, visiblement aux anges de revoir son ami.

— Salut, Émily.

— Salut, Will.

«Merde. Mon "salut" a sonné tellement poche! On dirait que je mue! OH… MON… DIEU! Est-ce que ça s'attrape, la mue? Est-ce que je devrais redire "salut!" juste pour voir?»

— C'est Simon, dit Emma pour faire les présentations. C'est avec lui que j'ai gagné Expo-Sciences.

— Oui! Emma m'a beaucoup parlé de toi, fait William. Salut!

— Salut! lance Simon. Je me souviens de toi. T'étais où l'année passée?

— Pris dans une tempête, se contente de répondre William en souriant à Émily.

« Il m'a SOURI!! Il m'a SOURI!! s'extasie intérieurement Émily en souriant timidement à son tour. Oh… mon… Dieu! On dirait que mes lèvres ont collé sur mes dents! Est-ce que ça se voit? Je suis beaucoup trop figée, aussi. Défige, Émily. Défige. »

Un silence s'installe alors autour de la table. Un peu plus et on entendrait les fourchettes discuter de leurs pics.

« DÉFIGE! »

— Pis? demande Émily.

Elle tente de prendre une gorgée d'eau nonchalamment, mais répand le contenu de son verre sur son menton.

« Merde. »

— Il paraît que vous avez vu un ours? demande William.

« Oui, je te l'ai même écrit », se dit Émily avant de réaliser que si William prend l'initiative de poser une question pour relancer la discussion, c'est qu'il est vraiment motivé.

William déteste discuter.

— Ben non, répond Emma, volant au secours d'Émily qui semble complètement paralysée, avec son sourire collé sur le visage comme le chat dans *Alice au pays des merveilles*.

— Peut-être que c'était un ours, dit Émily en tentant de décoller discrètement ses lèvres de ses dents.

— Émily a PENSÉ voir un ours.

— C'est rare de voir un ours, ajoute Simon. Parce que c'est un animal peureux. Il va rarement s'approcher des humains.

« Non, mais de quoi il se mêle, lui ? »

— Vous auriez dû voir Émily essayer de chanter et de bouger pour lui faire peur ! s'esclaffe Emma.

— Elle a eu raison, c'est ça qu'il faut faire, déclare Simon.

« Merci, Simon ! »

William sourit en regardant ailleurs. Émily a l'impression d'avoir un tournevis géant dans le ventre. Ce n'est plus le tournimini habituel. C'est le maxitourni.

— C'est sûr que lorsque Émily chante, les ours n'ont qu'à bien se tenir, dit-il alors en lui faisant un clin d'oeil.

« OH… MON… DIEU ! Un clin d'œil !!!…

« Une minute. Que veut-il dire ? Que lorsque je chante, je deviens dangereuse ? Comme lorsque j'ai embrassé Jérémie devant tout le monde alors que je venais de l'embrasser, lui ? Mais alors, pourquoi un clin d'œil ? Parce que c'est maintenant un gag entre nous ? Comme on en fait entre amis ? William est-il mon ami ? Veut-il seulement être mon ami ? Était-ce de la drague déguisée ? Est-ce que… »

— J'ai quelque chose pour toi, Émily, déclare alors Emma en sortant un papier de son sac. Je l'ai trouvé à l'épicerie à côté de chez moi.

— Qu'est-ce que c'est ? l'interroge Émily qui tente de repousser une mèche de cheveux d'une façon naturelle, mais qui ne réussit qu'à s'accrocher le nez.

« Aouch. »

— C'est l'annonce de StarAcAdo, répond Emma.

— COOL ! Montre-moi ! dit Émily avant de se mettre le coude dans la sauce tartare de son assiette.

« Merde ! Merde ! Est-ce que je vais arrêter d'avoir l'air épaisse ? »

— Qu'est-ce que c'est, StarAcAdo ? demande Simon.

— Un concours pour les chanteurs adolescents, explique Emma. Un concours télévisé.

— Ah oui. Ma cousine a participé à un concours du genre l'année passée.

— Tu veux dire qu'elle a fait FlashGroupe? dit Émily. C'est pas pareil, c'est tout le groupe qui devient connu. Alors que StarAcAdo, c'est vraiment pour devenir une vedette. Il n'y a qu'une personne qui gagne. Et si tu gagnes, tu as un agent et tout. Comme Lola Smith.

— Toujours aussi intéressée à devenir une star, Émily Faubert? fait William en croquant dans sa pomme.

«Ben… heu… oui.»

— Genre, lâche-t-elle.

«Depuis quand je dis "genre"?»

— Elle a chanté à la manif l'année passée, intervient alors Simon. Elle est vraiment géniale, tsé.

— Je sais, répond William. Je le sais depuis longtemps.

«Ah oui?… Ça veut dire quoi?»

— Bon! s'exclame Emma en tapant sur la table. Quand s'y met-on?

— Quoi? Quoi?

«"Quoi! Quoi!" J'ai l'air d'une grenouille.»

— Ben, quand commence-t-on à répéter en vue des auditions?

— Oh! Ben, c'est… c'est vrai, il faut se préparer, hein? bredouille Émily.

«Mais j'ai donc ben l'air épaisse! Au secours!»

— Hé, c'est le retour du *bad boy*! lance Francis Breton en frappant l'épaule de William.

— Salut, Breton! dit William en souriant.

— De retour au bercail?

— On dirait.

— Salut, Émily! Salut, Emma! Dis donc, *man*, comment tu fais pour être toujours bronzé?

— Le surf.

— Ah! Ouais.

— Comment va Rachel? demande Émily.

— Elle va bien. Elle commence le Conservatoire de musique. Elle est super énervée.

— C'est vrai, tu gradues cette année, toi! dit Émily avant de se pincer l'intérieur de la cuisse.

«Non, tsé! Il est en cinquième secondaire! Bien sûr qu'il gradue.»

— Oui! En passant, Nik, le *band* risque de jouer au bal, cette année! Trouve-toi une robe, toi aussi.

— Jérémie m'a parlé de rien sur mon Facebook, répond Émily en tentant de dire une phrase normale et intelligible. Je sais même pas si je fais encore partie du *band* cette année.

— C'est sûr! T'es genre la méga vedette du groupe!

— Cool.

«Même mon "cool" est pas cool!»

Francis regarde Émily avec un drôle d'air.

« Ben oui, ben oui, je suis bizarre. Pis ? »

Émily écarquille les yeux pour lui faire comprendre que la situation est hors de son contrôle.

— Oh, en passant, Zach peut pas jouer avec nous cette année, fait Francis. Il risque de couler son année, pis ses parents capotent. Si ça te dit, Will, la place est pour toi. Tu tombes du ciel, *man*. On va avoir besoin d'un nouveau batteur.

« Oh… mon… Dieu ! » se dit Émily en avalant de travers.

Francis vient d'inviter William à réintégrer le groupe dans lequel chante Émily. Le groupe de Jérémie !

Jérémie et William n'étaient déjà pas les meilleurs amis du monde avant. Mais, après l'histoire du baiser, durant les quelques jours d'école qui restaient avant les grandes vacances, Jérémie l'a pratiquement harcelée, et sous le nez de William ! Il ne s'est pas gêné non plus sur Facebook.

L'ennui suprême, c'est qu'entretemps, Jérémie est devenu l'ami d'Émily…

Comment va-t-elle gérer cette situation ?

— Je vais y penser, répond William en braquant ses yeux verts dans ceux d'Émily.

Horreur.

« C'est *La nuit des morts vivants* ! » se dit-elle.

18.

— Je voudrais chanter du Janis Joplin.

Émily est bien résolue à tenir tête à madame Gentilly cette année. Celle-ci fait une drôle de moue avant de jeter par terre l'ongle de son index qu'elle vient de tailler.

— *Jesus*. Encore de la pop ! C'est à ton camp que tu as connu Janis ?

— Non non, c'est pas à mon camp. Le camp, c'était vraiment génial par contre. Il y avait une chanteuse de mon âge, Kumba, qui m'a appris le scat !

— Ah ! Le scat ! Ça, c'est mieux ! Beaucoup mieux.

— Elle est tellement bonne pour improviser. Et puis, on a fait un hip-hop-jazz ensemble et…

— Tais-toi un peu. Tu parles trop.

— Scusez.

Madame Gentilly n'a pas changé pendant les vacances. Toujours aussi bourrue. C'est la reine des bourrues.

— Je voulais juste vous dire autre chose…, risque Émily après un silence.

— Quoi, *dear*?

— Je vous aime beaucoup, madame Gentilly.

« Tiens, toi. »

Madame Gentilly sourit, machiavélique.

— Les profs étaient minables, c'est ça, *dear*?

« Comment a-t-elle deviné? »

— Ben, pas minables. Mais… un peu moins… moins…

— Exigeants?

— Oui, c'est ça.

— Ah.

— Ce n'est pas grâce au camp que j'ai connu Janis Joplin, c'est grâce à l'article.

— L'article?

Il y a quelques mois, un journaliste a écrit dans le journal qu'Émily était la future Janis Joplin. Émily a alors demandé à sa mère qui était cette chanteuse, et elle a découvert que Janis Joplin était une fille qui chantait des « vieilles affaires ». Or, son timbre de voix était tout simplement extraordinaire.

« C'était une *rock star*. Une vraie. »

D'ailleurs, Léa, la passionnée du rock poilu, idolâtre Janis Joplin. C'est décidé. Émily va chanter du Janis Joplin.

« Ne suis-je pas sa digne héritière ? »

— Oui, l'article de journal !

— Quel article ? demande madame Gentilly.

— Ben… celui qui parle de moi !

— L'article ?

« Mais… mais… C'est vous-même qui me l'avez envoyé ! » pense Émily.

— Vous vous souvenez pas ?

— *Anyway*, tu n'as pas du tout le même timbre de voix que Janis Joplin. Il ne faudrait pas tenter de l'imiter.

— Je sais. Je suis pas folle. Je veux pas IMITER Janis, puisque, selon le journaliste, je SUIS la nouvelle Janis Joplin. Je voudrais juste chanter quelque chose d'elle, pour voir.

Madame Gentilly lève un sourcil.

— Chanter quelque chose de qui ?

— Ben… de Janis Joplin.

— Oh, de Janis.

« Mais qu'est-ce qu'elle a, madame Gentilly, aujourd'hui ? »

— Je ne suis pas aussi idiote qu'il y a trois ans, vous savez, poursuit Émily. Je sais qu'il faut que j'élargisse mon répertoire musical.

— Tu le sais grâce à moi, oui, déclare madame Gentilly le plus sérieusement du monde.

C'est au tour d'Émily de lever les yeux au ciel pendant que son professeur se tourne vers son classeur.

« Grâce à moua, patati patata blablabla. »

— J'ai quelques partitions de Joplin, dit madame Gentilly. Elles sont pour guitare. Pas pour piano.

— Oh.

— Mais je peux me débrouiller avec ça.

— Merciii ! s'écrie Émily en joignant les mains.

Elle n'en croit pas ses oreilles. Elle était sûre que madame Gentilly refuserait. Son professeur veut toujours lui faire chanter « des vieilleries plates », comme dit Émily. Cette dernière ne déteste plus le chant classique autant qu'avant, mais elle est ravie de pouvoir chanter un peu de pop.

Bon, de la vieille pop poilue, mais de la pop quand même.

C'est alors qu'Émily remarque que madame Gentilly s'est immobilisée, la partition à la main.

— Heu… madame Gentilly ?

Pas de réponse.

« Qu'est-ce qui lui prend ? »

— MADAME GENTILLY ?

— Oui ? dit la vieille dame en se tournant vers Émily.

— Vous étiez dans la lune !

— Oui ? Ah. Pourquoi je fouillais dans ce classeur, déjà ?

« Oh… mon… Dieu ! Madame Gentilly ne va pas bien du tout ! »

— Ben. C'était pour chercher des partitions de Janis Joplin…, risque Émily.

— Ah ! Oui ! C'est vrai. Voyons voir ça, lance madame Gentilly en se replongeant dans son classeur.

« Mais qu'est-ce qui se passe ? Madame Gentilly n'a pas l'habitude d'avoir des trous de mémoire ! Oh… mon… Dieu ! Et si c'était un début d'Alzheimer ? Cette maladie qui frappe les personnes âgées et qui fait qu'on se met à tout oublier !? »

— En voici une qui devrait te plaire, lui annonce son professeur en marchant péniblement vers le banc de piano.

« C'est vrai ! Madame Gentilly est une personne âgée ! Ferait-elle de l'Alzheimer ? Pitié, NON !!! Elle ne se rappellerait plus de moi !!! Et elle me refuserait peut-être l'entrée de sa maison ? »

— Heu… madame Gentilly ? Vous savez qui je suis, hein ?

Madame Gentilly regarde Émily avec un air ahuri.

— Oui, *dear*. Tu es Janis Joplin.

« OH… MON… DIEU ! »

— Je m'appelle Émily Faubert, dit l'adolescente en détachant toutes les syllabes.

— Bien sûr que tu t'appelles Émily Faubert, *for Christ's sake*, qu'est-ce qui te prend ?

« Ouf, elle est redevenue comme avant ! »

— Rien.

— Bon. Voici une partition intitulée *Piece of my Heart*.

— Je la connais !!! Je suis allée voir sur YouTube des enregistrements vidéo. J'ADORE cette chanson parce que ça parle d'amour et…

— Oui. Bon, l'interrompt madame Gentilly. On va commencer avec ça. Heu. Bon. Tu vas t'installer, heu…

« Oh non, ça recommence ! » On dirait que madame Gentilly a oublié où Émily s'installe quand elle chante. Pourtant, c'est facile, c'est à côté du piano !

— Ici ? demande Émily en prenant sa place habituelle.

— Oui. Ici, c'est parfait.

« Je capote ! »

— *Okay, dear*. Montre-moi ce que tu as dans le ventre. On y va avec le premier phrasé. *Didn't I make you feel like you were the only man, yeah !* chante madame Gentilly en ondulant des hanches, les yeux fermés.

« Madame Gentilly se déhanche ?…

162

« Ça y est. Madame Gentilly est frappée de sénilité. C'est une catastrophe.»

19.

— Will, tu as deux minutes ? J'aimerais te parler, dit Émily en sentant que son nez est sur le point d'exploser sous la pression.

William est adossé à son casier, son sac dans les mains. Émily a envie de rire en le voyant si contrarié de ne pas trouver ce qu'il semble y chercher. Il n'est pas le roi de l'ordre et du rangement.

Mais son rire reste coincé dans sa gorge à cause du stress. Elle est bien décidée à profiter de la pause de l'avant-midi pour parler à William… de la situation.

Du musti malaise, comme dirait Emma.

— William, je suis… heu… hum.

« Prends ton temps, Émily. Fais les choses comme il faut ! »

William lève les yeux vers elle.

« Oh… mon… Dieu ! Ses yeux sont vraiment verts ! »

Émily jongle avec l'idée de se mettre à chanter : « *Baby you're a fiiiiirewooooork…* »

— Je suis mal à l'aise depuis la rentrée, murmure-t-elle en tournant une mèche de cheveux entre ses doigts.

— Ouais, j'ai vu ça, répond William.

— Oui ?

— Ben. Oui.

— C'est pas comme avant, hein ? déplore Émily.

— Non. Mais c'est un peu normal.

— Heu. Ouais.

« Bon point ! »

— C'est juste que… j'aimerais savoir si on est amis ou non. On dirait que je ne sais plus sur quel pied danser. Je suis toute pognée. Toute… tsé ?

— « Toute tsé » ? répète William en esquissant un sourire taquin.

— Oh, sérieusement, Will. Tu fais des blagues depuis la rentrée, mais ensuite tu es distant. Déjà que tu parles pas beaucoup. Je suis toute mélangée.

William fixe Émily longtemps avant de baisser les yeux vers le plancher.

— Donne-moi du temps, ok ? dit-il avant de la regarder encore une fois.

Cette fois, c'est au tour d'Émily de baisser les yeux.

« Est-ce que c'est normal que nous soyons gênés ? Qu'est-ce qu'on a à regarder autant par terre ? »

— Oui, ok, répond Émily.

— Ça te va bien, tes cheveux.

« Mes cheveux !? Oh… mon… Dieu ! C'est juste une queue de cheval ! »

— Merci ! C'est juste parce que j'avais les cheveux trop sales ce matin pour les laisser lâches.

« Heu… est-ce que je peux me taire ? »

— Ça paraissait trop qu'ils étaient gras, poursuit-elle. Alors, avec une couette, ça paraît pas.

« Est-ce que je viens vraiment de dire ça ? »

— Ben, c'est beau pour vrai, dit encore William avant d'éclater de rire.

— Ouais, hahahahahahaha.

Émily est soulagée. Rire avec William semble avoir fait tomber un premier mur entre eux.

« Ouf. »

— Bon, c'était juste ça que je voulais te dire, conclut-elle. Puis aussi… j'ai pris ma décision : je lâche le groupe de musique de Jérémie.

— Ah bon ?

— Je préfère mettre mon énergie sur les auditions. J'aurai pas le temps de faire les deux en plus des cours. Alors, si tu veux, tu peux prendre la place de Zach sans te dire que Jérémie, toi et moi serons dans le même local en même temps.

— Je vois pas ce que tu veux dire ! fait William sérieusement, avant de sourire.

— Hahahahaha, drôle.

Il met finalement son sac dans son casier déjà plein et ferme la porte. Il donne à cette dernière un grand coup afin de réussir à enclencher le mécanisme de fermeture. Puis, il attend quelques secondes avant de parler de nouveau :

— Je n'aurais pas accepté l'offre de Francis de toute façon, Émily. Alors, peu importe ce que tu fais, le fais pas pour moi…

— Je m'en doutais que tu dirais non, toi aussi.

— Ouais. C'est pas…

Vlam ! La porte du casier de William vient de s'ouvrir violemment toute seule, projetant dans les airs le sac qui tombe sur les pieds d'Émily.

— Dis donc, ça s'améliore pas, ton ménage ! rigole-t-elle en le ramassant.

— Scuse ! dit William en éclatant de rire lui aussi.

Émily a envie de le prendre dans ses bras. Mais William lui a demandé du temps. Et c'est bien la moindre des choses que de lui en donner, après ce qu'elle lui a fait.

— C'est quand, les auditions? demande-t-il encore en tentant maladroitement de régler son problème de rangement.

— C'est samedi.

— As-tu besoin d'être accompagnée?

— Heu… ben… Emma vient avec moi.

— Oh.

« ÉPAISSE. ÉPAISSE. »

— Mais si tu veux venir, j'aimerais vraiment ça. Vraiment. Vraiment beaucoup.

« Vraiment beaucoup? »

— Ok, lâche William.

— Ok!

Émily sourit. William aussi. Leurs retrouvailles sont interrompues par la cloche qui annonce la reprise des cours.

— Attends, je vais tenir la porte, dit Émily en s'appuyant sur le casier de William pendant que celui-ci tente de mettre le cadenas.

Elle ressent une décharge électrique dans tout son corps.

« Oh… mon… Dieu! »

Mais William se détache rapidement d'elle une fois le casier fermé.

— On va être en retard, lance-t-il en souriant avant de se diriger vers le couloir.

Puis il marque une pause et attend visiblement qu'Émily le rejoigne.

Ce qu'elle s'empresse de faire, le cœur gonflé à bloc.

« Vivement samedi ! »

20.

Ferme les yeux tu verras ce sera pas long,
Transporte-toi vers de nouveaux horizons
De nouveaux horizons…
— Mélissa Nkonda, *Nouveaux horizons*

— Ça aurait été gentil de reporter pour cause de mauvaise température, dit Emma qui grelotte sous son parapluie.

— Ben voyons, Emma. Ils font le tour du Québec pour faire passer des auditions. Ils ont pas le temps de reporter à cause d'une petite pluie de rien du tout.

— Tu trouves que c'est une petite pluie, toi ?

C'est vrai. Il pleut à boire debout. Et Émily, Emma et William font la file depuis bientôt deux heures sous ce déluge sans avoir avancé d'un centimètre.

— Ce que je ne comprends pas, c'est pourquoi on a l'impression de rester au même endroit.

— ON RESTE au même endroit aussi, souligne Emma.

— Ils doivent être en retard dans leurs plans, fait William en redressant le capuchon de son imperméable.

— Super !

— J'ai les pieds gelés, dit Émily.

— Je vais aller chercher des chocolats chauds en face, propose William.

— Mais si jamais on entre pendant ce temps-là ???

— Ben, ça a pas l'air parti pour ça.

— Ouin.

William s'éloigne, les mains dans les poches. Emma en profite pour sauter sur Émily.

— Où en êtes-vous, vous deux ???

— Je l'ai invité…

— JE SAIS. Je veux dire : comment tu définis la situation ?

— Définir la situation ? Emma ! On dirait un travail d'école, ton affaire !

— Arrête de pas répondre ! Je veux savoir : PIS ?

— Ben, je sais pas. Je comprends pas trop. Mais je pense que j'ai un bon feeling ! répond Émily en souriant.

— MUSTI COOL ! s'exclame Emma. Peut-être que vous allez vous réconcilier pour de vrai, alors ?

Émily agrippe son parapluie un peu plus fort, sans répondre. Amis ou amoureux ? On verra.

— As-tu vu ? demande Émily. Il y a une Noire là-bas avec une perruque rouge ! Je suis sûre qu'elle va chanter du Rihanna !

— Ben, si elle chante pas du Rihanna, ça va être musti bizarre ! Hahahahaha !

Émily ne rit pas. Elle vient de réaliser que les juges vont la comparer à des centaines d'autres. Et si elle est comparée à une Noire qui ressemble à Rihanna, c'est ÉVIDENT qu'elle ne sera pas choisie !!!

— Je capote, Emma.

— Pourquoi ? À cause de la perruque ?

— Moi, j'ai pas de perruque. Pis je suis une grande blonde !!! Je ressemble pas du tout à Rihanna !!!

— Le lien, s'il te plaît ? C'est pas un concours de sosies ! C'est un concours de chant.

— Oui, mais quand même…

— Hé ! Nik !

Oh non.

Jérémie Granger.

Bien sûr, elle aurait dû y penser. Jérémie participe sûrement au concours, lui aussi.

« Heureusement que William est parti chercher des chocolats chauds ! »

— Salut, Jérémie !

— J'étais sûr de te voir ici, Nikki. Y a du monde, hein ?

— Ouais, c'est fou !

— J'ai entendu qu'il y avait encore plus de monde à l'intérieur.

— Ah oui ??? On les a pas vus, pis on est ici depuis super longtemps !

— Il paraît qu'il y a plein de candidats qui ont dormi ici la nuit dernière, c'est pour ça.

— Ils ont DORMI ICI ? s'écrie Émily.

— Oh, ben, c'est pour ça qu'on avance pas pantoute, dit Emma. On est arrivés trop tard !

— Ils ont promis de passer tout le monde en tout cas, ajoute Jérémie qui ajuste son capuchon.

— J'espère !!!

— Qu'est-ce que tu vas chanter, Nik ? Du Justin Bieber[1] ? blague Jérémie.

— Hahahaha ! Non, j'ai décidé de chanter du Rihanna. Je vais chanter *Only Girl*.

— Sans accompagnement ?

— Eh oui. C'est devenu ma marque de commerce de chanter a capella, tsé ?

— Une valeur sûre, oui.

....

1   *Voir tome 2, Le premier contrat.*

— Sans accompagnement, mais sans perruque, se désole Émily.

— Hein?

— Je me comprends. Et toi? Je vois que tu as ta guitare, fait Émily en pointant du doigt l'étui détrempé que tient Jérémie.

— Je vais chanter *Seven Nation Army*.

«Bon choix», se dit Émily qui a déjà vu Jérémie interpréter cette chanson des White Stripes en s'accompagnant à la guitare. Il faut dire que Jérémie a le sens du spectacle. Il risque d'en mettre plein la vue aux juges.

— Tu es nerveux?

— Non. J'ai l'habitude des auditions.

— Oui, mais c'est pas une audition de pub, ici, réplique Emma en plissant les yeux.

— Non, mais je sais bien gérer le stress.

«OH! HORREUR!»

Émily vient de voir William traverser la rue en courant avec les chocolats chauds.

— Bon, ben, bye, dit-elle à Jérémie.

— Est-ce que je peux rester ici? Je suis pas mal loin dans la file.

— Heu…, hésite Émily.

«C'est *La nuit des morts vivants, la suite*!»

— Oh! Salut, William, lance Jérémie, surpris, en déposant son étui à guitare sur le sol mouillé.

— Qu'est-ce que tu fais ici ? demande William sans lui accorder un regard, tout en distribuant les verres de chocolat chaud.

— Ben, c'est plutôt à moi de te le demander, non ? Tu chantes pas, à ce que je sache ?

— Il m'accompagne, intervient Émily pour sauver la situation.

— C'est le retour de Musclé alors, lâche Jérémie, narquois.

— C'est ça, répond William calmement, toujours sans le regarder. Est-ce que tu viens d'arriver ? Parce que si c'est le cas, le bout de la file, c'est là-bas, poursuit-il en montrant le coin de la rue du doigt.

— Wow ! s'exclame Jérémie en riant. Émily, qu'est-ce que tu en penses ? poursuit-il en attendant qu'elle tranche la question.

« C'est pas vrai ! Je ne dois pas gérer ça ! »

Émily sent que c'est LE test.

« Si je permets à Jérémie de rester, William va partir. »

Ce dernier boit tranquillement son chocolat chaud sous les gouttes de pluie sans tourner la tête vers eux.

« Il est là depuis deux heures, malgré la température ! Jérémie peut bien se faire rabrouer un peu. De toute façon, c'est vrai. Il n'avait qu'à arriver avant. Hein ? Hein ? Oh, mon Dieu, je sais pas quoi faire ! »

— Heu… Jérémie. On est… heu… hum, arrivés tôt pour être ici, tu sais. Alors…, bégaie Émily.

— Oh. Je vois, dit Jérémie en fixant William avec mépris.

— Tu vois rien, Jérémie. Tu t'en vas, c'est tout, répond celui-ci en le regardant maintenant droit dans les yeux.

Jérémie toise Émily. On dirait qu'il va éclater de rage. Il ramasse son étui et s'éloigne sous la pluie avant de lâcher, sur un ton grinçant :

— Je vais m'en rappeler, Nikki.

— Oh… mon… Dieu. Il est vraiment fâché, fait Émily, inquiète, en le regardant rejoindre le coin de la rue.

— Non mais, c'est vrai! Pour qui il se prend de penser qu'il peut dépasser tout le monde, lui? lance Emma en reniflant. On était là avant.

William boit une gorgée de chocolat chaud.

— Il est bon, hein? dit-il en faisant un clin d'œil à Emma.

— Super bon, lui répond Emma.

«Super bon», pense Émily qui a soudain un peu mal au cœur… La file commence enfin à avancer. Il va falloir chanter, maintenant.

21.

— Je m'appelle Émily Faubert. J'ai quatorze ans.

Il règne un silence de mort dans la salle d'audition. Devant Émily sont assis deux hommes et deux femmes qui regardent partout sauf dans sa direction. L'un d'entre eux est en train de manger un énorme sandwich qui dégouline.

— Heu… mais on m'appelle Nikki.

— Ton nom, c'est Émily ou Nikki? demande une des dames, celle aux cheveux bruns, sur un ton impatient.

— Mon nom de scène, c'est Nikki.

— Ok, Nikki, dit l'homme qui ne mange pas de sandwich, en faisant un sourire complice à ses compagnons.

« Oh non. J'ai eu l'air idiote en parlant de mon nom de scène. »

— Je vais chanter *Only Girl* de Rihanna.

— Encore du Rihanna, fait la dame aux cheveux bruns. C'est original, ajoute-t-elle avec ironie.

« JE LE SAVAIS ! Deuxième gaffe. »

— Je sais. J'ai pas de perruque.

— Hein ?

— Est-ce que ça dérange même si j'ai pas de perruque ?

Les quatre juges secouent la tête.

« Oh… mon… Dieu !

« On dirait que je me cale.

« Tais-toi, Émily ! »

— Je peux chanter autre chose si vous voulez ! dit Émily, prise de panique. Je peux chanter… heu…

— Non non, ma belle, l'interrompt l'homme à la bouche pleine en faisant un signe de la main. Vas-y. On n'a pas de temps à perdre. *Go*.

« Bonjour l'ambiance ! »

Émily tente de respirer normalement. Elle sait très bien que ses épaules sont beaucoup trop crispées. Le son ne sortira pas convenablement.

« Oh… mon… Dieu ! Je vais bousiller ma chance de devenir une star internationale ! »

Émily pense alors à madame Gentilly. Que dirait-elle ?

« Calme-toi avant de pousser la première note. Concentre-toi sur ton environnement et calme-toi. »

« Bon. »

Émily regarde les quatre personnes devant elle.

« Tiens, le sandwich dégouline plus à droite qu'à gauche ! Est-ce que c'est parce que la mayonnaise était moins bien étalée ou… »

— Est-ce que tu chantes, oui ou non ? demande Cheveux-Bruns, faisant sursauter Émily qui était en pleine séance de relaxation.

« Merde ! Je suis deux fois plus crispée maintenant ! »

— Je… heu… Oui. Je voulais juste… heu… me détendre un peu avant.

— Ben, on n'a pas le temps de se taper les détentes de tous les candidats, ma belle. Tu chantes ou tu pars, dit Sandwich en regardant la feuille devant lui.

« C'est une catastrophe. Je veux refaire mon entrée au complet. Est-ce que je peux ? »

— Est-ce que je peux juste respirer deux coups ? risque Émily.

— Oui, soupire l'autre homme en se touchant le nez.

« Pourquoi se touche-t-il le nez ? Est-ce un code entre eux pour éliminer des candidats ?

« Oh… mon… Dieu !

« Je viens de me faire éliminer avant même d'avoir chanté ! »

— Éliminez-moi pas tout de suite, s'il vous plaît ! ! ! s'écrie Émily. Je suis vraiment une bonne chanteuse ! Laissez-moi chanter juste deux notes, juste l'intro… pis…

— C'est qui, elle ? demande sèchement Cheveux-Bruns en fouillant dans ses papiers, alors que Sandwich s'appuie au dossier de sa chaise.

— On t'élimine pas, on attend que tu chantes ! Mais CHANTE !

— Mais vous vous êtes touché le nez !

— Hein ?

— C'est pas un genre de code… pour m'éliminer ?

Les quatre juges se regardent et soupirent en même temps.

— Écoute… heu… Nikki ? La journée est longue, ok, on est assis ici depuis très tôt ce matin, alors, ta paranoïa, on a pas le temps de s'en occuper.

— Ma paranoïa ? demande Émily.

— J'ai le rhume des foins, le nez me pique. Ok ? Tu chantes ta chanson, pis tu t'en vas, s'il te plaît.

« Je veux mourir sur place. Ici. »

UNE CANDIDATE MEURT DE HONTE LE JOUR DES AUDITIONS DE STARACADO.

TOUS LES DÉTAILS ET PLUS ENCORE
DANS VOTRE REVUE *FUN FUN*.

— Ok, répond Émily.

Elle inspire profondément.

« Que dirait madame Gentilly ? Tu as honte ? Sers-toi de ça pour chanter. »

Madame Gentilly dit toujours de se servir de tout pour chanter.

Émily pousse ses premiers « lalala laaaa » en maudissant madame Gentilly.

« Chanter avec l'aide de sa honte ? Ben voyons. »

— *I want you to love me*…, chante Émily en regardant les juges, droit dans les yeux.

Ça y est. Elle a trouvé !

« Les paroles de la chanson ! se dit Émily. Je vais me servir des paroles de la chanson !

« N'est-ce pas une chanson qui dit "je veux être unique pour toi" ? Eh bien, vous allez voir comme je SUIS unique. Je SUIS unique ! »

Émily regarde de nouveau les juges dans les yeux, chacun leur tour, en chantant le premier couplet. Sa voix résonne dans toute la pièce. Et c'est comme si un courant électrique passait de ses yeux à elle aux leurs.

Elle ne danse pas comme elle l'avait prévu. Tout ce qu'elle avait répété avec Emma tombe à l'eau. Elle ne bouge pas. Elle reste droite, immobile, les yeux connectés à ceux des juges, les pieds plantés au sol comme des prises électriques.

Seule sa voix bouge. Elle file droit, comme une bombe, vers la table loin devant.

« Vous ALLEZ m'aimer ! Je vous le jure ! Vous ne pourrez plus me lâcher ! »

Et c'est ce qui se produit. Les quatre juges ne bougent plus, eux non plus. Le sandwich dégoulinant pend au bout d'une main restée en l'air, entre la table et la bouche de son propriétaire. Tous sont pétrifiés par le pouvoir de cette grande blonde qui a l'audace de chanter sans bouger, préférant leur parler directement à travers sa chanson.

— *Take me for ride*…, chante Émily.

« Prenez-moi, oui, prenez-moi ! »

Émily sent qu'elle les tient. La magie qui opère quand elle chante s'est encore manifestée. Elle termine d'ailleurs sa chanson en souriant. Puis la timidité lui retombe dessus d'un seul coup et elle baisse les yeux.

L'adrénaline s'évapore en une fraction de seconde et ses jambes se mettent à trembler.

« OH… MON… DIEU !

« Je viens de chanter devant des juges !

« Sans danser !

« Qu'est-ce qui m'a pris !? »

Les juges restent silencieux quelques secondes.

«Ça y est, je suis vraiment éliminée cette fois. »

Émily se racle la gorge. Hum.

«Dois-je dire au revoir et prendre mon sac? »

— Bon, ben… merci? dit Émily en jetant un petit coup d'œil aux juges.

«Ils n'ont pas bougé d'un poil! Qu'est-ce qui se passe?? On dirait un film sur pause! »

— Je m'excuse, hum, j'ai même pas dansé… Heu… d'habitude je danse aussi, je sais danser…

— C'était très bien, mademoiselle, lance Sandwich qui sort enfin de son mutisme.

— C'est qui, elle, déjà? demande Cheveux-Bruns en fouillant de nouveau dans ses papiers.

— Je m'appelle Émily Faubert, répond Émily en regardant ses pieds.

«Mon Dieu que j'ai des grands pieds, se dit-elle. Mais pourquoi je pense à mes pieds!? »

— Émily Faubert, ah oui. Ok. J'ai la feuille devant moi. Tu as quatorze ans, c'est ça?

— Oui.

— Tu es sûre?

— Quoi?

— D'avoir quatorze ans?

«Ben là… À moins que ma mère soit une menteuse, moi, je me rappelle pas de ma naissance! Tu parles d'une question poche! »

— Ben… heu… oui!

— Je veux dire : tu as juste quatorze ans ? Tu es grande !

— Oh ça ? Oui, je le sais, dit Émily. C'est poche.

— Non non, c'est pas poche, comme tu dis, répond en souriant l'homme qui ne mange pas de sandwich. Seulement, tu as l'air plus vieille, c'est tout.

— Je sais, se contente de répéter Émily.

L'homme lui sourit.

— Ta voix est mature aussi pour ton âge.

« Une voix mature ? Une voix peut être mature ? Ma voix aura son permis de conduire avant moi ? Hihihi. Hum. »

— Mais j'ai vraiment quatorze ans, je vous jure, déclare Émily qui sent la pression s'amasser dans son nez.

« Oh non. Mon nez est déjà assez rouge comme ça. Pitié. »

— On te croit, Émily, dit doucement l'autre dame, celle aux cheveux roux, qui prend la parole pour la première fois. Tu prends des cours de chant depuis quand ?

— Depuis que je suis en première secondaire.

— Seulement ?

« Coudonc ! Est-ce que j'ai l'air menteuse à ce point-là ? Me croiraient-ils si je leur disais que la voix sort de MA gorge ?? »

— Ben. Oui. J'ai toujours chanté, mais je prends des cours avec madame Gentilly depuis mon entrée au secondaire.

— Est-ce que tu parles d'Ann Gentilly? l'interroge Sandwich en écarquillant les yeux.

— Oui.

— Qui est-ce? demande Cheveux-Bruns.

— L'ancienne chanteuse d'opéra! Ann Gentilly.

— Ah oui…, répond Cheveux-Bruns évasivement.

— Elle habite à Montréal, j'ai lu ça quelque part, poursuit Sandwich.

— Oui, c'est ma prof, fait Émily.

— Je savais pas qu'elle enseignait encore. Surtout pas qu'elle enseignait au Québec.

— Ben. Oui. Mais je pense que je suis sa seule élève.

Émily se retient de dire que madame Gentilly est sûrement devenue sénile et qu'elle ne sera bientôt plus son élève…

En fait, elle ne sait plus trop comment agir. Elle est là, debout devant eux, raide comme une barre. Sa chanson est terminée et elle ne comprend pas ce qu'elle doit faire.

— Tu as du talent, tu le sais, hein? dit la dame aux cheveux roux.

— Heu. Ben…

Émily ne sait pas trop quoi répondre. Avant d'aller au camp musical, elle en était convaincue. Mais maintenant qu'elle connaît Antony, Léa, Max et surtout Kumba qui a une voix si singulière, elle n'est plus sûre de rien.

— J'aime chanter, se contente-t-elle de répondre.

— D'accord, Émily. Tu peux t'en aller.

— Merci.

— Merci à toi.

« Wow. Ils sont beaucoup plus gentils depuis que j'ai chanté ! Pourquoi ?

« Eille ! Peut-être que c'est ça, mon don ! Peut-être que quand je chante, je rends les gens plus gentils ? »

Émily est tellement perturbée par son audition qu'en sortant, elle rentre dans un garçon qui échappe les feuilles qu'il tenait à la main.

— Tu pourrais faire attention ! hurle-t-il

— La la ! Lalibala lala, chante Émily en souriant.

— Ouais ouais, ben fais attention la prochaine fois, au lieu de chanter sans regarder où tu vas, crie-t-il encore en s'éloignant.

« Oups. Bon. Ça peut pas marcher à toutes les fois ! »

22.

— PIS ? s'exclame Emma en se précipitant vers son amie.

— Je sais pas ! C'était bizarre !

William sourit.

— Ben voyons, dit Emma.

— Je vous le dis. J'ai même pas dansé !

— Hein ? fait Emma. Mais notre belle chorégraphie !!

— Je sais ! Je comprends pas trop.

— Tu étais trop nerveuse ? demande William.

— J'étais HYPER stressée et les juges étaient HYPER bêtes.

— Oh non ! soupire Emma en longeant les bancs où des dizaines d'adolescents attendent encore leur tour.

— Les juges sont bêtes ? demande alors une fille qui se cramponne à sa feuille.

— Oui. C'est drôle, ils sont vraiment bêtes au début. Mais, après, on dirait qu'ils deviennent gentils.

— On devrait s'éloigner d'ici, lance William qui a remarqué que les commentaires d'Émily sèment la panique chez les autres concurrents. On va aller plus loin pour discuter, ok?

— Ouais.

Le trio se fraie un chemin dans la foule jusqu'à un endroit plus tranquille.

— Mais pourquoi tu n'as pas dansé? demande Emma.

— Je sais pas, je te dis! répète son amie en se tordant les mains. Ça aurait pas été naturel, je pense. Ils étaient tellement bêtes. Et puis, j'ai fait plein de gaffes au début et j'ai eu l'air complètement folle. Oh, mon Dieu! On dirait qu'en en reparlant avec vous, je me rends compte à quel point je me suis plantée! C'est épouvantable!

— Mais tu dis que les juges avaient l'air gentils après, tempère William.

— Oui. Mais c'est peut-être parce qu'ils ont eu pitié de moi! dit Émily en sentant le ciel lui tomber sur les épaules.

— Ben non, voyons, répond Emma. Ça se peut pas. Qu'est-ce qu'ils ont dit, après?

— Ben… je me rappelle plus trop, je pense que je suis trop énervée. J'ai pas dansé, Emma!!! Te rends-tu compte?

Émily sent son cœur s'accélérer. Et si elle avait vraiment tout gâché?

— Hé, les stars! crie une voix grave à côté d'eux.

Kumba marche vers Émily et Emma en agitant la main.

— KUMBA! crient en chœur les deux filles qui se précipitent vers elle.

Les trois amies s'étreignent en sautillant.

— Je pensais pas être capable de te retrouver, Émily! dit Kumba. Il y a tellement de monde, c'est fou! Je te cherche depuis le début de la journée.

— Kumba, je pense que je me suis plantée! souffle Émily, catastrophée.

— Ben voyons donc!

— Ça a bien été, toi?

— OUI! J'ai vraiment confiance. Je me suis éclatée! fait Kumba en souriant.

C'est alors qu'elle remarque la présence de William à côté d'Emma.

— Salut, dit-elle.

— Salut, répond William.

— C'est William, mon… heu…, bafouille Émily.

« Merde! Comment présenter William? Mon meilleur ami? Non, c'est plus que ça. Mon ex? Non, on est même pas sortis ensemble! Mon presque-ex avec qui je suis en train de revenir? Poche! Top gênant!»

Mais William éclate de rire en voyant le visage déconfit d'Émily.

— Je suis juste William, tranche-t-il en tendant la main à Kumba.

— Et moi, c'est Kumba. J'ai connu Émily et Emma au camp Étoiles et Sons cet été.

— Ah! C'est toi qui scat?

— Hahahaha! Oui! C'est moi.

— Cool.

« Wow. William connaissait ça, le scat? »

Quand Émily lui avait écrit qu'une amie faisait du scat, elle pensait l'impressionner avec ce mot.

« Eh ben, c'est raté. »

— Qu'est-ce que t'as chanté, toi? demande Émily qui commence à ressentir une pointe de jalousie.

— J'ai chanté *Respect*.

— Ah! Aretha! s'exclame William.

— Oui. C'est un peu cliché, mais ça fait toujours son effet.

— Les classiques, ça fait toujours effet.

« Mais… mais… mais… Depuis quand William discute-t-il avec des inconnus? Et qui est cette Awiita dont ils parlent? »

— Ah oui, Awiita…, dit Émily, tentant de s'immiscer dans la conversation.

— AREtha, lui murmure Emma à l'oreille, mine de rien.

— J'ai hésité longtemps entre ça et une chanson plus lente, genre du Nina Simone. Mais j'ai opté pour quelque chose de plus punché.

— Tu pensais à quoi? l'interroge William. *I Put A Spell On You*?

— Exact! répond Kumba en souriant. Hé, c'est rare, les gars qui connaissent le blues!

— Oui, William connaît plein de choses, fait Émily qui sent la situation lui échapper.

« Mais qu'est-ce qui se passe?!! »

— Et toi, tu as auditionné aussi? demande Kumba à William.

« Youhou! On est là, Emma et moi!!! Surtout moi!!! »

— Non, dit William en riant. Je chante pas.

— Il est batteur, précise Émily.

— *Nice!* lance Kumba. Tu es dans un groupe?

— Non, pas ces temps-ci, répond William en faisant un clin d'œil à Émily.

« Bon, enfin une démonstration de complicité! »

— Dommage, lâche Kumba. J'aimerais t'entendre.

— Bon ben, on va faire un bout, nous, hein? fait Émily.

— Moi, j'opte pour un poulet au beurre, dit William.

— OUI! s'écrie Emma. J'ai faim! Pis après, on pourrait regarder un film indien!!

— Qu'est-ce que tu en dis, Émily? demande William.

« Est-ce que j'ai vraiment l'air d'être celle qui décide, aujourd'hui? » marmonne Émily intérieurement.

La vérité, c'est que, n'ayant pas déjeuné ce matin en raison du stress, elle a maintenant une faim de loup. Elle a donc TRÈS envie d'un poulet au beurre du restaurant qui se trouve près de chez Emma. Surtout que, sans William, l'année dernière, l'endroit était beaucoup moins intéressant.

« Ce serait comme avant, tous les trois. »

— Oui, ça me tente! répond Émily qui se sent maintenant un peu mieux.

— Viens-tu avec nous? demande William à Kumba. C'est super bon.

« QUOI? Kumba! S'il te plaît! Dis non, dis non… »

— Ouais! Ok!

— Super! dit Émily en souriant comme si elle avait mordu dans un citron.

— Youpi! fait Emma. En route.

« OH… MON… DIEU! »

« Je vous en prie, forces mondiales, faites que Kumba se souvienne d'un rendez-vous urgent », prie Émily en ouvrant son parapluie.

Mais les forces mondiales ne travaillent pas le samedi.

23.

— Je pensais que j'allais m'écraser par terre
devant tout le monde, tellement j'avais honte,
rigole Kumba entre deux bouchées.

— Horrible, dit William en riant.

— Qu'est-ce que tu as fait? demande Emma.

— Ben, j'ai dansé quand même. J'ai fait
toute la chorégraphie avec le groupe. Mais avec
le costume à l'envers.

— Hahahahahahahaha!

Émily pique du nez dans son poulet. L'histoire de Kumba est très drôle. Seulement, elle
aurait voulu reparler des auditions. N'était-ce
pas censé être SON jour? Pourquoi a-t-il fallu
tomber sur Kumba?

«Parce que Kumba est mon amie! Youhou!»

— Émily, ça va pas? demande Emma.

— Hein? Oh. Le poulet passe pas super bien.

— C'est l'audition?

— Ouais.

— Les juges étaient vraiment pas cool, hein ? lance Kumba.

— Avec toi non plus ?

— Nooon. Ils avaient l'air pressés. Ou alors ils étaient tannés. On était trop, je pense.

— Toi aussi, tu as senti ça ???

— Ben oui.

— Mais ça t'a pas empêchée de chanter ?

— Non ! C'est pas mon problème si les juges trouvent leur journée trop longue. Hé. Moi, je suis là pour chanter, dit Kumba en faisant un geste de la main.

— Ils étaient quand même moins pire après, je trouve, fait Émily.

— Après quoi ?

— Ben, après que j'ai chanté.

— Oh ! Pas avec moi. Ils étaient encore bêtes même après. Ciao, bye.

— Ils t'ont pas posé de questions ?

— Non. Toi oui ?

— Oui.

— Tu vois ! s'écrie Emma, excitée. Tu nous avais pas dit ça, tantôt.

— Qu'est-ce qu'ils ont dit ? demande William.

— Ben, ils voulaient savoir quel âge j'avais, avec qui je prenais des cours de chant…

— Wow ! s'exclame Kumba. Hé, moi, j'ai pas eu droit à ça.

— Je le savais que tu t'inquiétais pour rien, Émily, dit Emma en frétillant. Je suis SÛRE que tu vas être choisie !

— C'est sûr que c'est bon signe, confirme William.

— Vous pensez ?

— Musti bon signe, répète Emma.

— Ouais, tellement bon signe que je commence à m'inquiéter à mon tour, déclare Kumba en rigolant.

— Ben voyons, Kumba, proteste Émily. T'es la meilleure chanteuse que je connais. C'est sûr que, toi, c'est même pas un suspense. Tsé.

— C'est ça qu'on te disait, à toi, tantôt, Émily, ajoute Emma. Pis tu nous croyais pas.

— Ouin.

Un silence s'installe autour de la table du petit boui-boui.

— Hé, c'est vraiment bon, cette affaire-là ! dit Kumba en se léchant les doigts.

— Je sais, répond Emma en rosissant. C'est moi qui leur ai fait connaître ça. Au début, Émily voulait pas goûter ! Hahahaha.

— Même pas vrai !

— Oui, c'est vrai.

— En tout cas, c'est bon.

— Attends de voir le film après, renchérit William.

— Oui, le film indien ! fait Emma.

— Quoi ?

— On loue toujours un film indien au dépanneur après.

— C'est un genre de tradition ? demande Kumba.

— Genre.

« On faisait toujours ça avant… » se dit Émily.

— C'est une vieille tradition, précise William en souriant à Émily.

Celle-ci ressent comme un coup de poing au ventre.

« Comme il est beau quand il sourit… »

— Et vous louez un Bollywood ? lance Kumba.

— Oui !

— Oh, j'adore.

« Pourquoi est-ce que Kumba connaît TOUT ? C'est donc ben fatigant ! J'ai toujours l'air *full* nounoune à côté d'elle ! »

— J'adore les films musicaux, dit encore Kumba.

— Tu as vu *8 miles* ? demande Émily.

— Oh, tsé, je suis pas vraiment une fan d'Eminem.

— Non ? s'étonne William. À cause des paroles ?

— Ouais, je sais pas. Je tripe pas, c'est tout.

— Pourtant, il maîtrise le rythme, ce gars-là, c'est malade, fait William. On dirait qu'il joue de la batterie mais avec des mots.

— C'est sûr que les paroles sont pas toujours… heu… disons, flatteuses pour les filles…, déclare Kumba.

— Il fait juste ça pour provoquer, répond William.

— Oui, mais pourquoi ? C'est pas très intelligent.

« Oh ! Oh ! Kumba et William ne sont pas d'accord ! YOUPI ! »

— Moi, je comprends pas les mots qu'il dit, ajoute Emma. Il parle trop vite. Je comprends rien.

— Ben, tu devrais aller lire les paroles sur Internet avec un dictionnaire anglais-français, lui conseille Kumba. Tu capoterais, Emma. Sérieux.

— Ben voyons, c'est pas si pire que ça, dit William en souriant.

— PAS SI PIRE QUE ÇA ? s'écrie Kumba. Non mais, Émily, aide-moi ! Tu vois bien qu'il faut le raisonner, poursuit-elle en montrant William qui éclate encore de rire. T'es blême ou quoi ? Tsss.

— Ok, alors tu dois préférer Beyoncé, lance William, narquois. Elle chante pas un truc féministe ?

— FÉMINISTE? RAPPORT? s'écrie Kumba. Tu parles de *Run the World, Girls*? Merde. Son vidéoclip est super macho. C'est n'importe quoi, ton affaire!

— Macho? Wow. Les grands mots! répond William, qui a l'air de beaucoup s'amuser.

— Non mais, c'est qui, lui, Émily? demande Kumba en faisant un signe de tête vers William. C'est ton ami, ça?

— Ok, ok, capitule le garçon en levant ses paumes en signe de paix. Je me rends. Mais c'est juste parce que tu aimes Aretha Franklin.

— Ah.

Ils éclatent tous les deux de rire.

Emma et Émily échangent un regard.

«Vois-tu ce que je vois?» semble dire Émily.

«Malheureusement, oui», semble répondre Emma.

«Je vais me réveiller. Je vais me réveiller. Je vais me réveiller.

«Tiens. Non. Merde.

«Ce soir, je me mets sur Google! se dit Émily.

«Et je vais devenir une pro de cette Awiita Frankmuche. Ça presse.»

24.

Madame Gentilly ouvre la porte d'entrée en souriant.

« Madame Gentilly sourit ? Oh… mon… Dieu ! Encore l'Alzeihmer ! Cette fois, elle ne se souvient plus qu'elle est bête ! »

Émily s'est inquiétée pour son professeur toute la semaine. Sera-t-elle encore bizarre comme la dernière fois ? La maladie progresse-t-elle rapidement ?

— Bonjour, madame Gentilly.

— Bonjour, Émily.

« Ouf, elle se souvient de mon nom. »

— Il fait beau, n'est-ce pas ?

« Hein ? Heu… premièrement non. Il fait un temps gris. Et deuxièmement, depuis quand me parlez-vous de la température ? »

— Oui, il fait beau.

« Surtout, ne pas contrarier une malade. »

— Alors, on se fait notre petite série de vocalises, *dear*?

«Ben oui. Comme d'habitude.»

— Heu… oui, répond Émily.

— Ok, viens t'installer.

«Bon. Bonne nouvelle, elle sait que je viens pour des cours de chant. Ça aurait pu être pire. La gentillesse peut-elle être un effet secondaire de l'Alzheimer?…»

— Alors, tu as passé une bonne semaine?

«EFFET SECONDAIRE!»

— Heu… oui.

— Rien de spécial?

— Ben…

«Oh… mon… Dieu. Madame Gentilly a découvert que je participais aux auditions de StarAcAdo!!!»

— Qu'est-ce que vous voulez dire? demande Émily, hésitante.

«Elle va me TUER si elle apprend que j'ai passé l'audition. Surtout si je lui dis que j'ai chanté de la pop!»

— As-tu un petit amoureux, toi? demande madame Gentilly en souriant.

«QUOI??? Non mais, qu'est-ce qui se passe?»

— Heu. Non. Ben, peut-être. Hum. C'est compliqué.

«Est-ce que je suis vraiment en train de répondre à cette question?»

— Ah, c'est toujours compliqué, les histoires de cœur. Non ?

« Je ne vais quand même pas parler d'"histoires de cœur" avec madame Gentilly ? ! ! »

— Je sais pas, répond Émily.

« Oh… mon… Dieu ! Madame Gentilly vient d'oublier que je suis ici pour un cours de chant ! Elle pense que je suis ici pour parler d'"histoires de cœur". Peut-être qu'elle a une psy ? Est-ce que je ressemble à une psy ?

« Réponse : Non. »

— Est-ce qu'on fait les vocalises ? risque Émily en appuyant sur le mot « vocalises ».

— Quoi ?

— Les vo-ca-li-ses ?

— Ha. Oui, *dear*. Allons-y.

Madame Gentilly s'installe au piano en chantant.

« En chantant ? ?

« Un mot.

« Trois syllabes :

« Sénile. »

Émily commence ses vocalises de Bordogni en lorgnant madame Gentilly du coin de l'œil. Celle-ci plaque ses mains sur le clavier en souriant.

« Madame Gentilly sourit encore ! Capoté ! »

— Tu n'es pas concentrée ! lance la vieille dame.

«Vous non plus!» a envie de répondre Émily.

— Refais ta série, *dear*.

Émily inspire profondément.

Elle refait ses séries de vocalises en tentant d'oublier que madame Gentilly a perdu un boulon. Elle y parvient en faisant un gros effort.

— *Great*. Maintenant, on reprend là où on en était la semaine dernière… Heu…

Madame Gentilly tourne autour du banc de piano.

— Où en étions-nous, *dear*?

— Nous avons lu les phrasés musicaux de *Piece of my Heart*.

— Ah! Oui! Janis. Ok.

Madame Gentilly sautille («sautille?») jusqu'à son classeur et en sort la partition. Puis elle s'installe sur le banc de piano et se tourne vers Émily.

— Alors, comment veux-tu qu'on travaille? demande madame Gentilly.

— Quoi?

Madame Gentilly, le dictateur suprême, lui demande ce qu'elle aimerait faire?

«Ben voyons.»

— Est-ce que tu veux travailler la tessiture? le phrasé? l'interprétation?

— Heu…

— Qu'est-ce que tu as? Tu n'as pas envie de travailler?

204

« Ce que j'ai, MOI ??? »

— Ben…

— On va travailler l'interprétation, tranche madame Gentilly en claudiquant jusqu'à Émily. C'est plus *funny*.

« *Funny*? Comme dans *Fun Fun*? Depuis quand madame Gentilly est *funny*? »

— Tu me la chantes une première fois et on en discute ensuite, d'accord?

« HEIN? On DISCUTE? Depuis quand madame Gentilly DISCUTE? »

— Ok.

Émily nage en pleine confusion. Comment doit-elle réagir? Doit-elle avertir quelqu'un? Madame Gentilly a-t-elle de la famille à Montréal? Un petit neveu? Devrait-elle en parler à Alain?

Émily attend la fin de l'introduction au piano de madame Gentilly et commence à chanter.

— NON! hurle madame Gentilly au milieu des premiers « *Come on!* ».

— Qu'est-ce qu'il y a ??? s'écrie Émily qui a sursauté.

— Mais qu'est-ce que tu fais?

« Oh oh. »

— Mais je chante, répond Émily en pesant ses mots comme si elle parlait à un enfant d'un an.

— Tu appelles ça chanter, toi? Cette chanson demande des tripes! Du cœur! De la passion. Du désespoir!

Madame Gentilly tourbillonne au milieu du salon. Sa robe mauve virevolte autour d'elle et tous ses bijoux font cling-clang-clong.

— Il faut que tu SENTES les choses. («Cling-clang-clong.») Cette chanson, c'est de l'émotion pure!

Et madame Gentilly se met à lancer de sonores « *Come on* » dans son salon en levant les bras au ciel.

« Ok. L'ambulance? La GRC? »

— Madame Gentilly, voulez-vous que je vous fasse un bon thé? demande Émily doucement.

— Un thé?! s'exclame son professeur. Mais ce n'est pas une chanson pour du thé! C'est une chanson pour de l'alcool fort! De la vodka sur glace! Du scotch!

— Heu… madame Gentilly?

Mais madame Gentilly semble être partie en orbite.

— Il faut que tu sentes les flammes dévorer ton cœur! ton corps! Et que tes supplications, tes « *come on, come on* », sortent de ton ventre pour aller jusqu'au sien. Aaaaaah! lance-t-elle en conclusion avant de s'affaler sur un fauteuil, épuisée.

— Oui, un thé me ferait du bien, *dear*, ajoute-t-elle en s'essuyant le front. Je n'ai plus l'âge pour ça. Non. Plus l'âge.

Émily court dans la cuisine préparer un thé. Elle ouvre les armoires, cherche du thé, en vain. Elle met la main sur une boîte de bâtons de cannelle et un pot de miel. «Dans de l'eau chaude, ça devrait faire l'affaire.»

Elle revient le plus rapidement possible dans le salon avec une tasse fumante. Elle a choisi la plus jolie, celle avec des oiseaux dessinés dessus.

— Merci, *dear*, dit madame Gentilly qui prend l'anse de la tasse et la porte à ses lèvres. PIOURK! crie-t-elle en risquant l'étouffement. *For Christ's sake*, qu'est-ce que c'est, ce bouillon sucré?

— Je n'ai pas trouvé le thé! s'excuse Émily en reculant. C'est de la cannelle, avec du…

— DE LA CANNELLE? rugit madame Gentilly. Non mais, tu veux ma mort, c'est ça?

Émily est soulagée. Madame Gentilly a retrouvé son air habituel de vieille grenouille enragée.

«Vive la cannelle.»

— Allez, *dear*. On reprend. Et tu chantes pour vrai, s'il te plaît. Sinon, *out*.

«Tout est rentré dans l'ordre, se dit Émily. Pour le moment.»

25.

— Qu'en pensez-vous ? demande Alain.

— Ben…, répond Emma.

— J'sais pas trop, dit Émily.

Alain a donné rendez-vous aux deux filles à sa boutique pour leur annoncer une grande nouvelle. Il va transformer sa boutique… en musée !

— Vous trouvez pas mon idée géniale ?

Alain porte un grand bonnet de laine aux couleurs du drapeau sud-africain et un chandail de Bob Marley. On dirait un chanteur de reggae qui s'est trompé de couleur de peau.

— Un musée ? demande Emma. Comment tu vas faire ?

— Ben, j'avais pensé organiser un parcours. On commencerait la visite avec les objets de l'Amérique du Sud, les peaux de crocodiles, les trucs comme ça. Ensuite, l'Amérique du Nord, le chapeau de cow-boy, le drapeau des States. Puis on ferait un tour par ici, poursuit Alain, excité, en contournant son comptoir, et on se retrouverait en Europe. Je mettrais en exposition le service à thé russe, le fez, les poupées de…

— Attends, attends, je comprends le concept, dit Emma. Seulement, est-ce que les gens vont vraiment être intéressés à venir voir tes affaires?

— Ben, moi, ça m'intéresserait! répond-il.

— Oui, TOI. Parce que, TOI, tu t'intéresses aux vieilles affaires poches, déclare Émily. Mais les gens normaux?

— Comment ça, les gens normaux? rétorque Alain. Comment ça, poches?

— Ce qu'Émily veut dire, fait Emma, c'est que, toi, tu t'intéresses aux vieilles affaires de voyage. Mais c'est pas le cas de tout le monde.

— Mais j'ai des carapaces de tortues!!

— De tortues miniatures, Alain! Tout le monde en a déjà vu dans une animalerie!

— Pis mes morceaux du mur de Berlin? Hein? Hein? Y a pas grand monde qui a vu le mur de Berlin.

— C'est rien que des morceaux de béton, réplique Émily.

— Rien que des morceaux de béton!? répète Alain, visiblement outré.

— Ben. Oui.

Alain a l'air sonné. Son bonnet de laine commence à glisser sur le côté.

— Pourquoi tu veux transformer ta boutique ? demande Emma. Pourtant, tu vends beaucoup plus maintenant. Y a toujours du monde dans ton commerce.

Emma regarde autour d'elle. Quatre personnes arpentent les allées. Il est vrai que depuis le réaménagement de l'année dernière, la boutique est beaucoup plus populaire dans le quartier.

— Je sais, répond Alain. Mais j'aimerais avoir un meilleur contact avec les clients, admet-il. Je m'ennuie, moi, toute la journée ici. Personne me parle. Sauf pour me demander un prix. J'essaie d'engager la conversation avec des gens, mais ça marche jamais.

« Tu devrais peut-être t'habiller normal, aussi, se dit Émily. Ça aiderait ! »

— Je me suis dit qu'en ouvrant un musée, poursuit Alain, je deviendrais guide. Ce serait plus actif comme métier.

— Je comprends ! s'exclame Emma. J'aimerais ça, moi aussi, être guide.

— Tu vois ! ? On pourrait être guides ensemble dans mon musée !

— Heu… je parlais plutôt d'être guide au Planétarium ou dans une grotte ou quelque chose du genre.

— Ah.

Alain s'appuie sur le comptoir.

— Alors, c'est pas une bonne idée ?

— Comment tu gagnerais ton argent ? demande Émily.

— Ben, avec les droits d'entrée !

— Tu vas faire payer les gens pour venir voir tes choses ? ? ?

Alain n'ose plus répondre. Il tâte son bonnet en souriant.

— J'ai compris, je laisse tomber.

— Hé ! J'ai une idée, je pense ! dit Emma.

— Quoi ?

— Pourquoi tu ajouterais pas une section café à ta boutique ?

— Une section café ?

— Ben oui ! Ça deviendrait un café-boutique ! Ça réglerait ton problème d'ennui ! Pis tu pourrais continuer à vendre tes objets.

— Eille… c'est vraiment pas bête, ça, déclare Alain en se redressant.

— C'est génial, oui ! ! ! s'exclame Émily. On est près de Saint-Prout ! Ça pourrait devenir notre lieu de rencontre ! Les cinquième secondaire ont leur café étudiant, pis, nous, on sèche comme des cotons. On aurait enfin notre coin !

— Oui ! ! ! approuve Emma. Qu'est-ce que t'en penses, Alain ?

— Je trouve pas ça bête du tout, fait-il en se touchant le menton.

— On pourrait même organiser des soirées thématiques avec des mini-spectacles! suggère Émily.

— Comme un cabaret!

— GÉNIAL!!! s'écrie Émily. Je pourrais venir chanter ici! On pourrait même fonder un nouveau *band*! Le *band* des Débarras!

— Le Débarras Band!

— Cool!

— Ouais ouais ouais, ça me plaît!!! dit Alain qui commence à s'emballer.

— Il faudrait faire un menu.

— Il pourrait y avoir des sandwichs. Pis des smoothies.

— Des petits amuse-gueule coréens.

— Le lien, Emma?

— Pour le Chung!

Alain tambourine sur le comptoir.

— Il me faut un permis! Pis une cafetière. Pis un frigo!

— On va t'aider avec la déco! lance Émily. Et puis, il faudrait une petite scène…

— Quelques spots.

— Oh oui!!!

— Minute, minute, dit Alain. On va commencer par régler les questions techniques essentielles.

— C'est-à-dire?

— Quand fait-on le party d'ouverture?

— Hahahahahaha!

— Pour Noël!!!

— Mais c'est dans longtemps…, proteste Émily.

— Hé! Donne-moi le temps de m'installer! Noël, c'est juste dans trois mois…

— Oui, pour Noël, approuve Emma.

— Oui!

Émily est folle de joie. Elle a trouvé une autre façon de continuer à chanter devant un public. «Peu importe le public», disait madame Gentilly.

«Ouin. Quand madame Gentilly avait encore toute sa tête…»

26.

De : Alain Faubert (alain.faubert@yahoo.ca)
À : Émily Faubert (emilfaubert@hotmal.com)
CC : Emma Nolin (emmanolin@hotmail.com)
Objet : Pommes ?

Salut les filles !
Je me demandais si vous aviez envie d'aller
aux pommes en fin de semaine ? Je propose
de vous y emmener, si ça vous intéresse. Je vous
en dois une pour l'idée du café.

Parlez-en à William.

Alain

De : Émily Faubert (emilfaubert@hotmail.com)
À : Alain Faubert (alain.faubert@yahoo.ca)
CC : Emma Nolin (emmanolin@hotmail.com)
Objet : RE : Pommes ?

Ma mère a dit oui ! La mère d'Emma aussi !
Will sera aussi de la partie.
Yééééééééééééééééééééééééééé.

Émil ☺

27.

— Comment ça, sénile ? demande Emma en mangeant des chips au vinaigre.

— Je te le dis, madame Gentilly est devenue folle. Elle a pété un câble.

— Hahahaha ! Musti drôle comme expression ! Péter un câble. Hahahaha !

— Elle a sauté une coche !

— Elle est zinzin !

— Elle est maboule !

— Heu…, fait Emma, cherchant une autre expression. Elle est à l'ouest ?

— À l'ouest ?

— J'ai entendu ça dans un film français.

— Pourquoi à l'ouest ?

— J'sais pas. En tout cas. Pourquoi tu dis qu'elle a… heu… pété un câble ?

Les deux filles sont assises sur un divan de la salle de jeux du pensionnat, pendant que

William se bat contre une armée virtuelle sur la Xbox.

— Je comprends rien, poursuit Émily. Avant, elle était bête comme ses pieds. Mais, maintenant, elle est tellement de bonne humeur qu'elle chante en même temps que moi toutes les chansons ! C'est vraiment fatigant ! Et puis, elle oublie tout plein d'affaires.

— Peut-être qu'elle est en amour ?

— QUOI ? ? ?

— Tu y avais pas pensé ?

— Ça se peut pas, Emma ! Madame Gentilly en amour… Pfff.

— Pourquoi pas ?

— Ben. Emma !

— Quoi ?

— Avec qui ?

— Je sais pas, moi. Un vieux chanteur, comme elle.

— Tu penses ?

— Elle sourit tout le temps ?

— Oui.

— Elle est distraite ?

— Tout le temps.

— Elle est en amour.

— OH… MON… DIEU !

Émily est sous le choc. Madame Gentilly, en amour ? Qui l'aurait cru ?

« Il faut que je trouve avec QUI ! ! ! »

— Parlant d'amour, comment ça va avec lui ? chuchote Emma en pointant le menton vers William, toujours occupé à se défendre contre des ennemis en deux dimensions.

— Pas super non plus, répond Émily en baissant la voix.

— Comment ça ?

— Ça fait une semaine que je passe toutes mes soirées sur Internet ! Je suis écœurée. J'ai trouvé plein d'informations sur Aretha Franklin, mais je trouve pas le tour de les insérer dans la conversation.

— Qu'est-ce que tu veux dire ?

— Ça prend un contexte ! Je peux pas arriver devant lui pis me mettre à parler d'Aretha Franklin pour rien. Ça va avoir l'air étrange, non ?

— Non.

Émily soupire. Elle se souvient qu'Emma était complètement ridicule, l'année passée, lorsqu'elle lâchait des informations sur la Corée à toute heure de la journée.

« Je suis pas pour lui dire que j'ai pas envie d'avoir l'air aussi folle qu'elle ! »

— J'attends le bon moment, se contente d'ajouter Émily. C'est juste que le bon moment se présente jamais. Je vais devenir une encyclopédie du blues avant la fin de l'année si ça continue.

— Oups.

— Je compte sur la sortie aux pommes. Je me dis que ça pourrait être top romantique dans un verger.

— Pourquoi vous chuchotez? demande William sans quitter l'écran des yeux.

— On parle de choses de filles, répond Emma. C'est pas de tes affaires.

— Merci. Super poli.

— De rien.

Émily contemple William qui manipule la manette du jeu.

«Qu'a-t-elle de plus que moi, cette manette?» se demande-t-elle.

— Salut! dit soudain Maud.

Maud Trahan. La fille de Luc Trahan, le gérant d'artistes avec qui Émily a signé un contrat l'année dernière.

Un contrat qui a par la suite été annulé.

«Oh… mon… Dieu! Qu'est-ce qu'elle veut?»

— Salut, répond Emma.

Émily ne dit rien. Depuis cette histoire de contrat annulé, Maud et elle ne se sont jamais reparlé.

— Émily, j'aimerais te dire quelque chose, lance Maud en bougeant nerveusement les pieds.

— Ah? fait Émily en regardant le paquet de chips d'Emma. Comment tu fais pour manger ces chips, Emma ? Moi, le vinaigre, je trouve ça vraiment dégueu.

— J'aimerais m'excuser, reprend Maud. Pour l'année passée. Je voudrais commencer l'année sur des bonnes bases.

— C'est comme sur les frites. Moi, j'haïs ça du vinaigre sur des frites, poursuit Émily.

— Émily ?

— Ou des cornichons. Même des cornichons dans le vinaigre, j'aime pas ça.

— Ok. Tu veux pas me parler. Je comprends. Mais je voulais m'excuser quand même. Salut. Bye, Emma.

Maud s'éloigne d'Émily et d'Emma pour aller rejoindre un autre groupe de filles plus loin.

— Tu as été boa, dit Emma.

— QUOI ? C'est moi qui suis boa maintenant ? Je te signale que c'est elle qui a ruiné mon année ! Ma carrière !

— T'aurais pu au moins l'écouter… Elle venait pour s'excuser !

— Ah oui ? Pis après, elle va me donner un petit kit pour les ongles de pieds en me disant qu'elle est mon amie[2] ?

— Je sais qu'elle a pas été correcte, mais…

— Coudonc, Emma Nolin ! T'es de quel bord ?

....
2   Voir tome 2, *Le premier contrat.*

— C'est pas une question de bord! Elle est venue faire la paix, tu aurais pu être moins… arrogante.

— DE QUOI? Arrogante? Tu te rappelles pas qu'elle t'appelait « le puceron »? Ou « le moucheron »? Ou « la punaise de lit »? Ou… En tout cas! Elle a fait annuler mon contrat de musique, elle s'est arrangée pour que je sois accusée de vandalisme à l'école, elle m'a envoyée chez le psy de l'école alors que j'avais rien fait, elle a tenté de me faire chasser du groupe de Jérémie! Et tu me trouves ARROGANTE avec elle?

— Elle est venue s'excuser, répète Emma.

— PIS!? hurle Émily, rouge de colère.

— Ça a dû lui demander du courage de faire ça!

— DU COURAGE? Eille, je commence à penser que t'es amie avec elle pis que vous avez tout manigancé à deux!

— QUOI? répond Emma qui commence à hausser le ton. Es-tu folle, Émily?

— Ben oui! Tu la défends TELLEMENT. Qu'est-ce qui me dit que c'est pas toi qui as fait le vandalisme avec mon vernis? Hein?

— QUOI???

— Va-t'en, Emma Nolin, si t'es du bord de Maud, je veux plus rien savoir de toi!

— QUOI??? fait encore Emma qui est maintenant debout.

— Qu'est-ce qui se passe, les filles ? demande William qui a lâché sa manette en entendant les cris.

— C'est épouvantable, ce que tu viens de dire, Émily ! lance Emma qui est devenue toute blanche.

— VA-T'EN ! crie Émily.

— Là, tu as dépassé les bornes, dit Emma qui commence à ramasser ses affaires.

— Eille ! Eille ! Qu'est-ce qui se passe ? répète William en s'approchant, inquiet.

— Mêle-toi pas de ça, William, rétorque Emma sur un ton brusque qu'Émily n'avait jamais entendu.

— C'est ça, ajoute cette dernière qui ne sait plus trop comment agir devant la colère de son amie. Bon débarras !

Emma se tourne vers Émily et la regarde dans les yeux. On dirait qu'elle va pleurer. Mais non. Elle lui tourne le dos et sort de la salle de jeux, emportant son sac.

Émily pousse un rugissement. Elle va éclater de rage. Mais ce sont des larmes qui jaillissent de ses yeux. Elle sent bien qu'elle a réagi beaucoup trop fortement. Mais, avec le stress de StarAcAdo et l'impression doulou-reuse d'être rejetée par William, elle ne sait plus comment se contenir. Et la lave vient de sortir du volcan.

— Pourquoi tu cries? demande doucement William qui choisit pourtant de rester debout, comme s'il ne savait pas s'il devait consoler l'une ou l'autre.

— On s'est chicanées…, fait Émily en baissant la tête.

— Ça avait l'air grave, pour que tu lui dises de s'en aller sur ce ton-là…, dit William en s'asseyant à côté d'elle.

— J'ai crié «va-t'en» deux fois!!! répond Émily en pleurant de plus belle. Je le pensais pas… Mais j'étais trop fâchée!

William s'est relevé et ramasse maintenant ses affaires pour les ranger dans son sac.

— Je vais essayer de la trouver, se contente-t-il de dire.

— Mais…

— Je pense que c'est sérieux, Émily, déclare William en se redressant. Je veux pas laisser Emma comme ça.

— Mais…

Mais William s'éloigne vers la porte d'un pas rapide.

— Tu sais qu'Aretha Franklin est réputée pour avoir mauvais caractère? lance Émily à travers ses larmes, avant de se cacher le visage dans les mains.

«Oh… mon… Dieu!

«Il est parti, lui aussi…»

28.

De : Émily Faubert (emilfaubert@hotmail.com)
À : Alain Faubert (alain.faubert@yahoo.ca)
Objet : Pommes annulées

Alain, la sortie aux pommes est annulée.
Je me suis chicanée avec Emma.
☹

De : Alain Faubert (alain.faubert@yahoo.ca)
À : Émily Faubert (emilfaubert@hotmail.com)
Objet : RE : Pommes annulées

Qu'est-ce qui s'est passé ? ? ?

De : Émily Faubert (emilfaubert@hotmail.com)
À : Alain Faubert (alain.faubert@yahoo.ca)
Objet : RE : RE : Pommes annulées

> Top compliqué.
> William est fâché lui aussi. Je capote.

De : Alain Faubert (alain.faubert@yahoo.ca)
À : Émily Faubert (emilfaubert@hotmail.com)
Objet : RE : RE : RE : Pommes annulées

> Viens me voir à la boutique.

De : Émily Faubert (emilfaubert@hotmail.com)
À : Alain Faubert (alain.faubert@yahoo.ca)
Objet : RE : RE : RE : RE : Pommes annulées

> Trop triste pour bouger. ☹

29.

« Oh… mon… Dieu ! »

Émily vient de voir qu'Emma s'est assise à une autre table à la cafétéria.

« Une autre table ! Ça fait trois ans qu'on mange toujours à la même table ! Qu'est-ce qu'elle fait ? »

Émily espérait pouvoir s'expliquer pendant l'heure du dîner. Elle a préparé tout son discours d'excuse. Or, voilà qu'Emma ne vient même pas s'asseoir avec elle !

« C'est vraiment top grave comme chicane, alors ! »

Après avoir été ignorée toute la matinée, Émily a le cœur tellement gros qu'il ne doit pas être loin de la taille d'une montgolfière.

Elle voit alors arriver William avec son plateau. Il regarde Émily, puis Emma.

« Oh… mon… Dieu ! On dirait qu'il hésite ! »

William fait un signe à Emma et s'approche de la table d'Émily.

« Ouf ! »

— Émily, je veux juste te dire que je vais aller rejoindre Emma.

« QUOI ? »

— C'est ma meilleure amie, ajoute William, visiblement désolé de la situation.

— T'es fâché, toi aussi ? demande Émily qui sent ses yeux se remplir de larmes.

— Je suis pas fâché, je sais même pas c'est quoi, votre chicane, dit William en s'asseyant sur le bout de la chaise à côté d'elle. C'est juste qu'Emma, elle a été là, tsé, quand…

— Quand… ?

— Ben, l'année passée… Hum.

« Oh… mon… Dieu. Il parle de notre rupture ! »

— Pis là, c'est à mon tour d'être là pour elle, poursuit William en regardant ailleurs, embarrassé. Ça veut pas dire que je suis pas ton ami, tu comprends ?

« Ben, t'es quoi, d'abord ? » a envie de répliquer Émily.

Elle ravale avec peine la boule coincée dans sa gorge. Émily sait très bien qu'elle est en grosse partie responsable de cette chicane. Alors, il est bien normal que ce soit elle qui reste seule ce midi. Toutefois, elle aurait envie d'être consolée, elle aussi.

« C'était quand même injuste qu'Emma soit aussi gentille avec Maud ! » se dit-elle.

— Est-ce que tu vas dîner avec moi demain, d'abord ? demande-t-elle d'une petite voix.

William sourit tristement.

— Je sais pas, Émily. C'est pas facile pour moi non plus, là. Je suis coincé entre les deux.

— Comme Emma l'année passée…, glisse Émily en regardant son assiette.

« Comment je vais faire pour manger ? »

— Oui, un peu, fait William en se levant. Mais essaie d'être moins… impulsive, aussi ! ajoute-t-il en lui souriant franchement cette fois.

« Il n'est pas fâché ! Oh, mon Dieu, il n'est pas fâché ! »

— Ouais, répond-elle en baissant les yeux.

— Ok.

William s'éloigne de la table de son pas lent et assuré. Émily a une boule tellement grosse dans le pharynx qu'elle a l'impression d'être sur le point d'étouffer. C'est alors que Simon Chouinard arrive avec son dîner.

— Qu'est-ce qui se passe ? Où sont les autres ?

— Là-bas, souffle Émily en essuyant ses joues.

— Vous êtes en chicane ?

— À ton avis ? lance-t-elle sèchement.

— Scuse. T'as peut-être envie d'être seule? Mais, en même temps, je pense que ça te ferait du bien d'avoir un peu de compagnie…

Émily a envie de griffer.

« OUI! Je suis bête! Je suis impulsive! J'ai pas d'allure! Je suis une amie médiocre! J'ai une furieuse envie de frapper quelqu'un. Si tu restes, tu vas être une super cible agréable, Simon Chouinard! J'ai justement envie de recevoir des postillons dans la face! »

— Merci, répond-elle en tentant de se calmer. C'est juste que… je suis de mauvaise humeur, ok?

— Ah. Comme toujours. Hahahahaha!

— Quoi?

— Ben, t'es souvent de mauvaise humeur, non?

— Heu… le lien, s'il te plaît?

— Ça t'arrive souvent d'être… heu… un peu bête.

— Eh ben, coudonc, c'est vraiment pas ma journée…, dit Émily, et elle éclate en sanglots.

— Oh! Je voulais pas te faire pleurer, s'empresse d'ajouter Simon, catastrophé.

— Ben, c'est raté…, réplique Émily en se mouchant dans sa serviette.

Simon reste silencieux quelques instants, sans toucher à son dîner.

— Quand t'es pas fâchée, t'es super comme fille, déclare-t-il pour briser le silence.

— Ouais…, répond-elle en faisant une boule avec sa serviette en papier et en reniflant.

— C'est vrai, continue Simon. Tu chantes tellement bien. Pis tu es intelligente aussi. Et ta chanson, l'année passée, ben… elle m'a vraiment touché beaucoup.

Émily lève ses yeux bouffis vers Simon.

— On aurait dit que tu parlais de moi, ajoute-t-il. Je sais pas comment t'as fait ça. C'était comme si tu étais entrée dans ma tête. Tu disais ce que, moi, j'aurais voulu dire.

— Ah oui ? dit Émily d'une grosse voix enrouée.

— Oui. Pis pourtant, tu as pas l'air d'une fille qui peut… heu… se sentir seule.

— Pourquoi tu dis ça ?

— Ben… t'es toujours entourée d'amis.

— Pas aujourd'hui…, fait-elle en souriant faiblement.

— Non, pas aujourd'hui, répète Simon en riant. Aujourd'hui, il y a juste moi.

Émily regarde Simon Chouinard avec curiosité. Qui est cet étrange garçon qui parvient à trouver drôle le fait d'être toujours mis à l'écart ?

Emma avait peut-être raison. Simon n'est pas comme les autres. Et pourtant, il est vraiment gentil.

Émily comprend qu'Emma ait pu devenir son amie pendant le voyage en Espagne. Malgré les postillons.

Elle la regarde, assise plus loin, et la boule de peine se reforme dans sa gorge.

« Mais il est pas question que je m'humilie en allant la voir ! » se dit Émily en tentant d'avoir l'air détachée.

Sans succès.

30.

— Hé, Nik! Tu dînes toute seule?

— Oui, mais j'aime ça, répond Émily en souriant exagérément à Francis Breton.

« Un petit mensonge de temps en temps n'a jamais tué personne, se dit-elle. Si Simon Chouinard n'était pas dans l'activité philo le jeudi midi, aussi!

« L'activité PHILO!!!

« Ça a tellement l'air plus tripant que de manger avec moi! Non mais, qu'est-ce que c'est, au juste, l'activité PHILO? Un atelier de pâte PHILO? Mouhahahaha, je suis drôle. »

Mais Émily ne se trouve pas si marrante, surtout seule à sa table.

« Tout le monde me regarde, songe-t-elle. Même SIMON n'est pas là. Alors, je bats certainement un record de rejétitude. »

— Viens donc manger avec nous autres, dit Francis. Déjà qu'on te voit plus à cause du *band*. On s'ennuie !

« Ben voyons. »

Avec l'air grognon qu'il affiche depuis les auditions, Jérémie ne s'ennuie certainement pas autant que le prétend le guitariste.

— Vous êtes tous en cinquième secondaire…, commence Émily.

— Pis ?

— Ben…

— Allez, prends tes affaires, lance Francis en lui tournant le dos et en se dirigeant vers la table de Jérémie.

Émily prend son plateau et le suit d'un pas mal assuré.

« Oh… mon… Dieu ! Je vais m'asseoir à une table remplie de cinquième secondaire ! »

— J'amène une recrue, déclare Francis en souriant et en déposant son plateau.

— Hé ! Nikki ! s'écrie Cham. Cool ! Salut !

— Salut, Nik, fait Zachary avec un signe de tête.

« Wow. Ok, c'est plutôt cool d'être à une table de cinquième secondaire, finalement ! »

— Émily, je te présente Coralie, Stef, Alex, Ossica…

— Salut, dit Émily avec timidité en mettant son plateau à côté de celui de Francis.

— Salut! lui répondent-ils tous avec un grand sourire.

« Re-cool! »

— Salut, Jérémie, ajoute Émily.

— Gngngn, grogne Jérémie sans la regarder.

« Oups. »

— Il paraît que tu ne chantes plus dans le groupe? demande une jolie brune aux yeux bleus, qui répond au nom d'Ossica.

— Non, fait Émily, intimidée.

— Pourquoi?

— Hum, ben, j'avais peur de manquer de temps cette année, avec les auditions de StarAcAdo... Hum.

— Coool! Tu participes, toi aussi? ajoute Ossica. Jérémie aussi a passé les auditions.

— Oui, on s'est croisés là-bas, grince Jérémie.

— Trop génial! s'exclame Ossica. Tu vas être prise, c'est clair.

« Ah? Oui??? »

— Attendons de voir, intervient Jérémie. Il y a quand même trois tours à passer.

— Oh, Jé! C'est sûr qu'elle est prise, voyons donc!

— Tu chantes vraiment bien, lance un petit maigrichon à lunettes du nom d'Alex. Et surtout, tu as une super présence sur scène.

— Clair! dit encore Ossica.

— Clair, répète Francis, la bouche pleine, en souriant à Émily.

— Oh, ben, hum, merci, bégaie Émily en jetant un coup d'œil vers la table de William et d'Emma.

Ceux-ci rient en l'ignorant complètement. Ils ne l'ont peut-être pas vue…

« Je suis assise avec les cinquième secondaire ! Et ils me trouvent cool ! »

— Eille, tu es vraiment gênée, toi, hein ! fait Ossica.

« Oups. Pas si cool que ça… »

— Francis nous avait dit que tu étais vraiment différente que sur scène, mais je pensais pas que c'était à ce point-là…, poursuit-elle. Ça fait drôle !

— Ah oui ?

— Ouais, dit Francis. Elle est gênée, la petite Nik.

— Gênée ? Pas tant que ça, ajoute Jérémie avant de ricaner méchamment.

« OH… MON… DIEU ! »

Tous les autres se contentent de sourire amicalement.

« Est-ce qu'il vient de me traiter de fille facile ?

« OH… MON… DIEU !

« HORRIBILIS !

« Réponds quelque chose ! Réponds quelque chose ! » s'exhorte Émily.

— Toi, en tout cas, t'es pas gêné! lance-t-elle avant de se cacher derrière son verre de jus de pommes.

« AAAAAAAAH! J'ai RÉPONDU! Vive le cours de débat oratoire! Vive la répartie! »

Toute la table éclate de rire.

— Ouin, il se fait répondre, le petit Jé, dit Cham.

— Bof, lâche Jérémie qui tente de sauver les apparences.

Une fille très maquillée appelée Coralie sourit à Jérémie d'un air enjôleur avant de se pencher vers lui.

« Ça doit être sa prochaine cible », devine Émily.

— Comment a été ton audition, Jérémie? demande-t-elle ensuite gentiment pour détendre l'atmosphère.

— Super bien, répond Jérémie en la regardant fixement. Ils m'ont gardé à la fin pour me poser des questions.

— Ah oui??? Moi aussi!!! s'exclame Émily. Ils ont pas fait ça avec tout le monde, tsé! J'ai une amie qui a passé la même journée que nous, pis ils lui ont juste dit merci à la fin, poursuit Émily, excitée.

— Méga cooool, dit lentement Francis alors que les autres hochent la tête.

« Merde. J'ai *full* l'air d'une fille de troisième secondaire !!! Top énervée !!! »

— Qu'est-ce qu'ils t'ont dit ? l'interroge Jérémie avec un air de défi.

— Ils m'ont demandé avec qui je prenais des cours de chant, raconte Émily qui tente de rester calme et posée comme si elle était, elle aussi, une vieille de cinquième.

— Ah, juste ça ? dit Jérémie en soupirant et en reprenant une bouchée de fenouil.

— Cool ! répète Francis.

— Pourquoi ? Qu'est-ce qu'ils t'ont demandé, toi ? Qu'est-ce qu'ils t'ont demandé ? lance Émily avec empressement.

« Merde, j'ai encore l'air tout excitée, top bébé. »

— Ils m'ont dit que j'avais donné une interprétation originale, mais, ça, je le savais. Ils m'ont complimenté aussi sur mon jeu de guitare.

— Génial, *man,* fait Cham.

— Ils m'ont même demandé si j'avais déjà joué de la musique professionnellement.

— Ah ? Pourquoi ? demande Zachary.

— Ben, ils ont dû trouver que j'avais l'air pro.

— Ils t'ont peut-être juste reconnu à cause de la pub de Piscine Plus, suggère Ossica.

Jérémie lui lance un regard noir.

— Non, je pense pas que ce soit juste ça, dit-il.

— Ça se peut, Jé, poursuit naïvement Ossica. Les gens peuvent te reconnaître mais ne pas se rappeler où ils t'ont vu.

— NON, c'était pas pour ça, insiste Jérémie sèchement.

Ossica fait une grimace à Cham, qui lui sourit en retour.

« Sortent-ils ensemble, ces deux-là ? »

Émily regarde de nouveau la table où William et Emma sont assis. Elle ressent encore un tournimini. Emma la regarde quelques instants avec de détourner les yeux froidement, comme si elle ne la connaissait pas. Émily sent qu'elle va se mettre à pleurer.

— As-tu écrit d'autres chansons ? lui demande Francis.

— Non. J'ai pas vraiment eu d'inspiration.

— L'écriture de chansons, c'est plus facile quand ça va mal, hein ? déclare Francis en lui adressant un clin d'œil.

— Ouais, c'est vrai.

Émily avait écrit son texte en plein chagrin d'amour. Les mots avaient effectivement coulé tout seul de son cœur meurtri à sa feuille de papier.

« Si c'est ça, je sens que je vais en écrire une autre bientôt ! » se retient de dire Émily.

— Ah, parce que tu composes aussi? lance Alex.

— La chanson de la manif, l'année passée, c'était elle qui l'avait écrite, dit Francis.

— Hé! Je pensais que c'était toi, *man*.

— Nan. J'ai juste fait la musique, moi.

— Super bonne chanson, ajoute Alex.

— Tu fais de la musique, toi aussi? l'interroge Émily qui tente de surmonter son angoisse.

— Moi? Hahahahahaha! Non, vraiment pas.

— Tu te rappelles le soir où il a pris les bongos chez Martel? fait Zachary.

— Comment l'oublier! répond Jérémie en éclatant de rire.

— Historique! renchérit Cham.

— J'avais bu, lâche Alex sur un ton d'excuse.

— Mets-en! ajoute Francis en riant lui aussi.

Émily a du mal à avaler son dîner et laisse son assiette à moitié pleine devant elle. D'être assise à une table où la bonne humeur règne lui donne encore plus envie de pleurer.

« Je veux retrouver mes amis… » se dit-elle en jetant un regard furtif à la table qu'occupent William et Emma.

La table est vide.

Elle ne les a même pas vus quitter la cafétéria. Sans elle.

31.

— Moi, je pense qu'on devrait donner des amendes aux gens qui polluent, dit Emma. Ça découragerait ceux qui jettent leurs papiers partout.

Madame Meunier, la prof du cours de débat oratoire, regarde la classe.

— Quelqu'un veut-il répondre?

Emma évite Émily depuis maintenant deux semaines. Les deux semaines les plus longues de la vie de cette dernière.

Émily n'a pas eu la chance de lui parler une seule fois, ni pendant les récréations où Emma disparaît mystérieusement, ni pendant les heures de dîner où elle s'assoit ailleurs pendant qu'Émily mange avec Simon Chouinard.

Enfin, lorsque la journée se termine, Emma se rend tellement vite aux vestiaires qu'Émily ne parvient pas à la rattraper ou à la retrouver.

« C'est le moment ou jamais ! » songe Émily, prête à saisir l'occasion.

— Moi, je veux bien participer, dit-elle en levant la main.

— Bien, Émily, lève-toi et va rejoindre Emma en avant.

Emma lève les yeux au ciel.

— Alors, qu'as-tu à dire ?

— Premièrement, j'aimerais savoir ce que ça veut dire, « polluer », fait Émily.

« Bon, pas fort comme question. »

Emma soupire bruyamment.

— Ben là, franchement ! lâche-t-elle.

— Réponds, Emma ! intervient madame Meunier.

— Ça veut dire : jeter des papiers par terre.

— Genre, un papier de popsicle ?

« Poche. POCHE. Trouve un angle de débat, Émily, ça presse. »

— Oui, dit Emma impatiemment.

« Ok. »

— Mais qu'est-ce qui arrive si le papier… heu… le papier…

« Trouve. TROUVE ! »

Emma la regarde, exaspérée.

« Oh… mon… Dieu ! Je voulais juste parler à mon amie ! J'ai pas d'idées ! ! ! » a envie de crier Émily à madame Meunier qui la fixe avec un air perplexe.

— Si le papier… ? répète madame Meunier.

— Si le papier s'est juste envolé ? complète Émily.

« Ouf. »

— Ben là ! répond Emma en regardant madame Meunier.

— Qu'est-ce que tu veux dire, Émily ? demande cette dernière.

— Je veux savoir si… heu…

« Une idée, s'il vous plaît, quelqu'un ! ! ! »

— Je veux savoir comment on ferait pour s'assurer que c'est bel et bien de la négligence et non pas un accident.

« Youpi ! Une idée ! »

— Un accident ? fait Emma d'un ton brusque.

— Oui. Si j'échappe mon papier… Pis qu'il s'envole… Pis qu'un policier passe à ce moment-là…, continue Émily avec un enthousiasme grandissant.

— Si c'est ça, ça mérite pas une amende ! s'impatiente Emma.

— Mais comment il le sait, le policier ?

— Eille, tu fais exprès, Émily ! dit Emma. Franchement.

— C'est une bonne question, tempère madame Meunier. Comment tu fais pour retracer le pollueur ?

— Il faut le prendre sur le fait ! répond Emma.

— Mais s'il dit qu'il l'a juste échappé ? renchérit Émily qui se laisse prendre au jeu.

— Ben, il avait juste à faire attention ! crie Emma.

— On reste calmes, les filles, lance madame Meunier.

— Non, c'est vrai ! On dirait que tu fais exprès ! poursuit Emma.

— Ben voyons, Emma, proteste madame Meunier en fronçant les sourcils. Émily fait juste l'avocat du diable, comme on l'a appris la semaine passée.

« Faire l'avocat du diable », c'est prétendre qu'on n'est pas d'accord pour pousser l'autre à trouver de nouveaux arguments.

« Non, pas pantoute !!! » a envie de hurler Émily.

Elle écarquille les yeux pour faire comprendre à Emma que madame Meunier n'a rien compris.

Et elle non plus !

« Je veux juste te parler, Emma ! »

— Alors, Emma, fait madame Meunier, tu dis donc que peu importe ce qui arrive, on a une amende si on échappe un papier ou si on le jette…

— Ben… heu… Oui, c'est ça. Non… mais…

— Alors ?

— Je sais pas ! répond Emma en fusillant Émily du regard.

« Merde ! »

— Voilà un bon exemple de débat ! se réjouit madame Meunier en se tournant vers la classe.

— C'était pas un débat, c'était un règlement de comptes, murmure Emma.

— Vous pouvez retourner à vos places, dit madame Meunier.

« Raté. »

— Je te revaudrai ça, grince Emma en passant à côté d'Émily.

— Un deuxième sujet, quelqu'un ?

« Merde merde merde… »

Emma fait un gros « clang » en laissant tomber sa règle. Elle regarde Émily en plissant le nez.

— Prenez vos cahiers, nous allons consigner quelques notes ensemble, déclare madame Meunier. Nous allons parler de l'argumentaire et…

Mais Émily n'écoute plus. Elle est catastrophée par la tournure des événements.

Elle déchire donc discrètement une languette de papier sur laquelle elle écrit : « On fait la paix ? » Elle la plie et la lance ensuite sur le pupitre d'Emma en priant pour viser juste.

« Hourra ! Pile sur le bureau ! »

Emma regarde Émily, prend le papier et le dépose sur le coin de son bureau sans réagir. Elle retourne à son cahier en écoutant les directives de madame Meunier.

« Crotte de chèvre ! »

Émily déchire un second petit bout de papier où elle écrit : « S'il te plaît ? », avant de le lancer à son tour.

Mais Emma balaie le second petit bout de papier du revers de la main, sans le regarder. Celui-ci tombe par terre, encore plié.

Émily attend donc la fin du cours en se disant que, cette fois, elle va retenir Emma de force s'il le faut.

« Ça ne peut plus durer ! »

Au son de la cloche, elle s'est tellement préparée qu'elle bondit presque sur son amie.

— Emma, je VEUX te parler.

— Pas moi, répond Emma qui tente de se dégager.

— Tu réponds pas à mes courriels, tu te sauves pendant les pauses, tu déplies même pas mes petits papiers ! ! ! !

— J'ai pas envie de les lire, tes petits papiers.

— J'ai le droit de te parler quand même !

— Et moi, j'ai le droit, comme tu dis, de pas vouloir t'écouter.

— Wow ! C'était une bonne réplique de débat, ça ! dit Émily en souriant.

Mais Emma garde les traits crispés en tentant de se frayer un chemin pour sortir. Émily étant beaucoup plus grande, c'est peine perdue.

— Laisse-moi passer, Émily. C'est ridicule de te servir de ta taille pour me barrer le passage. C'est une agression, pis on n'a pas le droit dans l'école. Pis je veux pas être en retard au prochain cours.

— Emma, le prochain cours, c'est éducation physique, pis je sais que tu détestes ça, niaise-moi pas.

— Justement ! Il faut se changer, pis tout. LAISSE-MOI PASSER.

— Emma ! Est-ce que je peux juste te parler deux secondes ? Je veux qu'on fasse la paix. Je suis en train de capoter, toute seule dans mon coin.

— Ah ! C'est juste pour ça que tu veux qu'on fasse la paix ? Parce que tu te sens toute seule ?

— NON ! Je veux dire…

— Dans le fond, c'est juste parce que tu veux être avec William que tu veux qu'on fasse la paix, dit Emma qui commence à devenir toute rouge autour des yeux.

— NOOON ! Emma ! Écoute-moi !

— Tu m'as fait de la peine, Émily Faubert, fait Emma dont les yeux sont maintenant pleins de larmes. Tu es ma meilleure amie. Pis tu m'as traitée de menteuse.

Émily reste immobile, bouleversée de voir qu'Emma est en train de pleurer. Emma ne pleure pas souvent.

Elle pourrait maintenant passer dans l'allée sans problème, mais elle semble tout à coup déterminée à se vider le cœur.

— Je suis pas une menteuse, poursuit-elle en fixant Émily, alors que les larmes roulent sur ses joues.

— Je le sais…, répond Émily qui voudrait mourir de honte. C'est juste que quand je suis fâchée…

— Je suis pas une tricheuse non plus! Je t'ai JAMAIS joué dans le dos!

— Je le sais, répète Émily en baissant la tête.

— Ben, pourquoi tu as dit ça, d'abord? dit Emma en pleurant.

— Parce que j'étais fâchée! lâche Émily qui se donnerait bien volontiers une gifle elle-même.

« C'est épouvantable. Je fais pleurer mon amie. »

— C'est pas une raison pour m'accuser! lance Emma.

— Je le sais! Oh, mon Dieu, Emma! Je m'excuse tellement! J'ai juste pas compris pourquoi tu prenais la défense de Maud. On dirait que je l'ai pris comme si tu disais que ce qu'elle avait fait était pas si grave. Pis ça m'a énervée!!!

— J'ai jamais dit que c'était pas grave! réplique Emma.

— Je le sais! J'étais énervée, je te dis!

— Ben, il faut apprendre à te calmer les nerfs, fait Emma en reniflant.

— Oui, Simon aussi me l'a dit.

— Simon?

— Chouinard.

— Tu parles à Simon Chouinard, maintenant?

— Oui, on mange ensemble le midi. T'as pas remarqué?

— Je pensais pas que tu lui parlais. Je pensais que tu faisais juste te servir de lui pour pas être toute seule, dit Emma. C'est ton genre.

— Au début, oui, admet Émily. T'as raison. Mais, après, j'ai commencé à lui parler pour vrai.

— Ah oui?

— T'avais raison, il est cool. Quand il ne postillonne pas.

Emma sourit en s'essuyant les yeux.

— Je te l'avais dit!

— Ouais.

— Émily, dis-moi que tu veux pas faire la paix juste pour pas être toute seule le midi?

— Je suis pas toute seule, je suis avec Simon Chouinard !

— Réponds-moi !

— Franchement, Emma, tu penses que je m'humilierais à m'excuser juste pour ça ? demande doucement Émily. C'est top humiliant, ce que je suis en train de faire. C'est ben plus humiliant que de manger toute seule le midi, tu sauras. Je suis top humiliée d'avoir à m'excuser. T'es ma meilleure amie, Emma.

— T'es vraiment superficielle, des fois ! soupire Emma.

— Wow. Impulsive, bête, superficielle ! J'en ai, des défauts !

— Héhé ! Qui t'a dit ça ? William ?

« Hein ? HEIN ? »

— William me trouve bête et superficielle ? lance Émily, inquiète. Il t'a dit ça ?

— Ben non, tu le sais, Will, il te voit dans sa soupe.

« Ah OUI ????? »

— Emma, s'il te plaît, pardonne-moi, dit encore Émily. Je vais faire super attention de pas trop m'énerver.

— Tu m'as vraiment fait de la peine, Émily. Vraiment, répète Emma qui a maintenant les yeux tout gonflés.

— Je le sais, je m'excuse.

— T'es chanceuse que je sois tannée de courir me cacher pour pas te croiser !

— Quoi ?

— Je savais plus où me cacher. J'étais rendue cachée dans une case, à la fin.

— Non !?

— Oui.

— Hahahahahahahaha !

— C'est juste pour ça que je fais la paix, en fait, déclare Emma en souriant timidement.

— Ben oui ben oui.

— Pis pour pas que tu sois obligée de retourner à la table de Jérémie.

— T'as vu que j'y suis allée un midi ?

— Oui. Je me demandais teeeeellement comment ça se passait !!!

— J'avais l'impression que vous m'aviez complètement oubliée…

— Penses-tu ? William est presque devenu fou, ce midi-là. Il a fallu qu'on quitte la cafétéria super vite, tellement il était sur les nerfs. J'avais musti peur qu'il se lève pis qu'il aille verser sa liqueur sur la tête de Jérémie. J'ai dû faire des blagues toute l'heure du dîner pour le calmer.

« Oh… mon… Dieu ! La vie est belle ! Emma est de nouveau mon amie et William me voit dans sa soupe ! Vive la soupe ! »

32.

— Heu… problème, les cocos! On dirait que le moteur a étouffé.

— Hein???

Émily, Emma, William et Alain sont sur une petite route de campagne. Ils roulaient vers un verger de Rougemont, mais la voiture vient de s'immobiliser au milieu de la chaussée.

— Maudit vieux bazou!

— Tu veux dire qu'on est pris ici? demande Émily, tandis que la voiture derrière eux commence à klaxonner.

— On dirait. Maudite minoune! grogne Alain.

— Musti prout! Qu'est-ce qu'on fait?

— Il va falloir sortir de la voiture et la pousser sur le côté de la route, dit Alain en soupirant.

— QUOI??? s'exclame Émily.

— Ben oui, on bloque la route. Allez, hop!

— Ok, fait William qui ouvre la portière.

— Attention au trafic, crie Alain.

— Quel trafic ? répond William en riant.

« Oh… mon… Dieu ! On va vraiment pousser la voiture ? »

— Alain, tu devrais pousser avec les filles, je vais rester au volant, ajoute l'adolescent.

— Mais…

— Je sais conduire, pas de problème. Mon père me laisse conduire à la campagne.

— T'es sûr ?

— Sûr, fait William en contournant le véhicule pour aller prendre le volant. Pis tu vas pousser plus fort que moi.

— Ouin ? Ok. Le moteur est mort de toute façon. C'est pas comme si tu pouvais faire de la vitesse, dit Alain.

— C'est ce que je me dis.

Émily et Emma suivent Alain qui s'installe pour pousser. La voiture derrière eux en profite pour les contourner en klaxonnant.

— Ben oui, ben oui ! crie Alain au chauffeur qui leur fait un signe de mécontentement en passant.

— Eille ! Il est donc ben pas fin, lui !

— Une chance que c'est une route pas très fréquentée, déclare Alain. Allez ! On va se dépêcher de tasser l'auto avant que d'autres véhicules arrivent. Je veux pas qu'on soit coincés avec

un camion derrière. Ok! Un, deux, trois, *GO*.
On pousse!

Ils poussent de toutes leurs forces, mais la
voiture n'avance que de quelques millimètres.

«Oh… mon… Dieu! On n'y arrivera jamais!»

— Ça bouge pas pantoute! constate Emma.

— Ouin, soupire Alain en s'essuyant le
front.

— Il faudrait que William pousse avec
nous!

— Dis-moi quoi faire, Alain, pis, moi, je
vais prendre le volant, suggère Emma. Je suis
la moins forte.

— Tes pieds se rendent même pas aux
pédales, lance Émily en riant.

— Exagère pas!

— Je pense qu'Émily a raison, fait Alain en
opinant du bonnet.

Emma se renfrogne.

— Je vais la prendre, moi, la place, dit
Émily.

— T'es sûre que tes jambes sont pas trop
grandes? demande Emma, toujours vexée.

— Pfff.

— Qu'est-ce qui se passe? demande William
en passant la tête par la portière.

— Donne ta place à Émily, pis viens pousser,
lui crie Alain.

— Ok.

William descend de la voiture et laisse entrer Émily, qui s'assoit derrière le volant.

— Tu sais quoi faire?

— Pas pantoute, répond Émily en s'esclaffant.

— Il faut que tu tournes le volant vers la droite, comme ça…, dit William qui ouvre la portière et se penche vers le volant pour lui faire une démonstration.

Émily reçoit une décharge de dix mille volts alors que le coude de William frôle son bras et son épaule gauche.

«Oh… mon… Dieu!»

— Tu dois garder le volant dans cette position, la pédale au plancher, ajoute-t-il.

— Ok.

— La pédale, Émily.

— Ah oui, ok, scuse.

— Écoutes-tu?

— Scuse. Oui, j'ai compris.

« Hé! Je me comporte comme madame Gentilly! C'est peut-être vrai qu'elle est amoureuse!»

— Quand tu vas voir qu'on est rendus sur le côté, tu retournes le volant, comme ça, poursuit William en changeant l'angle du volant.

Deuxième décharge.

— Ok?

— Ok.

— Sinon, on va tourner en rond, prévient William.

— Ok.

« Peux-tu refaire la démonstration, s'il te plaît ? » a envie de dire Émily.

— Ok, ti-gars ! crie Alain. Viens pousser.

Émily garde la position. La voiture s'ébranle et avance lentement pour se ranger sur le côté.

« Wahou, ça marche ! »

Émily prend soin de faire exactement ce que William lui a dit, puis lâche la pédale et sort de la voiture.

— Ça a marché ! s'écrie-t-elle avec joie. C'était comme ça, hein ?

— Ouais.

— On l'a eu ! lâche Alain.

— Et c'est juste Emma qui a poussé ! Nous, on a presque rien fait, dit William en riant.

— Pfffff, répond Emma.

William et Alain sont tout rouges.

— Qu'est-ce qu'on fait, maintenant ?

— On est vraiment au milieu de nulle part…

— Il y a juste des champs autour…

— Des champs de quoi, d'ailleurs ?

— Aucune idée.

— Emma ?

— Quoi ?

— Ce sont des champs de quoi ?

— Pourquoi moi ?

— Tu sais toujours tout, fait Émily.

— Non ! Je connais pas l'agriculture !

— Heu… le lien, Emma ? Tu as gagné Expo-Sciences avec une affaire de plantes !

— De biologie végétale ! ! !

— Ben, c'est pas comme de l'agriculture ?

— Tu as ton iPhone, Émily ? demande Alain.

— Bien sûr. Tu veux que je regarde sur Google pour le champ ?

— Non, je veux appeler une dépanneuse.

— Oh.

Les trois amis s'assoient alors sur le bord de la route, à côté d'un rang de quenouilles.

« Moi qui pensais que ce serait une journée romantique ! se dit Émily. Top romantique, le bord d'une route ! »

William cueille une longue brindille et en met une extrémité dans sa bouche.

— Est-ce que j'ai l'air d'un cow-boy ?

— Heu… non, répond Émily en riant.

— Hé ! Les cow-boys font toujours ça dans les films ! lance William.

— Ah bon ?

— Ben oui !

— T'as juste l'air d'un gars bizarre avec un brin d'herbe dans la bouche, dit Emma.

— Mauvaise nouvelle, les amis, annonce Alain en revenant vers eux avec le iPhone d'Émily. On en a pour au moins une heure avant l'arrivée de la dépanneuse.

— Oh non!

— Eh bien, la cueillette des pommes est annulée, se désole Emma.

— On dirait bien.

— On va explorer les environs, alors? propose Émily.

— Où? Dans le champ? raille William.

— Pourquoi pas?

— Mais c'est le champ de quelqu'un, ça! C'est une propriété privée! objecte Emma.

— Vois-tu une ferme quelque part, toi?

— Non…

— Bon!

— Hé, éloignez-vous pas trop quand même, dit Alain qui s'assoit dans la voiture, sur son siège abaissé.

— Ouais ouais.

— Ok.

Le trio s'enfonce alors dans le champ. Les herbages leur arrivent à la taille, si bien qu'il n'est pas facile de s'y aventurer sans tout saccager sur son passage. Néanmoins, les trois amis y font la course, tant bien que mal.

— C'est Emma, la tague! crie Émily.

— Musti injuste! Je toucherai jamais personne, c'est bien trop grand ici! Pis je cale dans le blé!

— Essaie, au moins! lance William en lui tirant la langue pour l'agacer.

— Franchement! Vous courez tous les deux bien plus vite que moi!!!

— Allez, Emma!

— Ben, tsé! Je vais complètement m'épuiser à vous courir après pis…, dit Emma avant de piquer soudainement un sprint vers Émily et de lui pousser l'épaule avant de repartir dans l'autre sens. JE T'AI EUE!

— Eille! La partie était commencée? C'était pas clair! proteste Émily.

— OUI! hurle Emma qui court toujours.

— Top injuste.

— C'est Émily, la tague, ajoute Emma en riant.

— Attends, toi! la menace Émily qui se lance à sa poursuite avant de trébucher et de s'écraser par terre. Ayoye!

Emma et William éclatent de rire.

— Hahahahahaha! Es-tu correcte? On te voit plus!

— Oui, ça va, fait une voix. Mais j'ai un peu déchiré ma robe.

« Une petite robe de campagne parfaite pour aller aux pommes, mais complètement débile pour jouer à la tague.»

— Tu as disparu!

— Coucou! dit Émily en émergeant des hautes herbes.

— On devrait jouer à la cachette ici! propose William.

— Es-tu fou? On pourrait se perdre! répond Emma.

— Ben noooon.

— C'est sûr qu'on peut pas vraiment courir.

— Ok, je compte jusqu'à trente. Un… deux… trois… quatre, commence Émily en fermant les yeux.

Elle entend le feuillage craquer, et puis plus rien.

—… vingt-deux… vingt-trois… vingt-quatre…

«Oh… mon… Dieu! Je vais me ramasser tout seule au milieu d'un champ!»

— Vingt-neuf… trente. Prêts pas prêts, j'y vais, crie-t-elle en ouvrant les yeux.

«OH… MON… DIEU! Je suis vraiment toute seule au milieu d'un immense champ. On n'aurait jamais dû jouer à ça!!!»

Émily a un moment de panique. Elle reste immobile plusieurs secondes à se demander quoi faire. Elle tourne ensuite sur elle-même et sursaute en voyant William debout derrière elle.

— Salut! dit William.

— Innocent!!!! s'écrie Émily.

— Hahahahaha ! C'était trop drôle de te voir immobile comme ça !!! s'exclame-t-il, tordu de rire.

« Espèce de tarla ! »

— Qu'est-ce que tu fais là ? Tu t'es pas caché ? Où est Emma ? demande Émily.

— La dépanneuse est arrivée plus tôt que prévu, répond William, visiblement amusé par sa blague. Emma est partie rejoindre Alain pendant que tu comptais. Tu as vraiment sauté en l'air. Hahahaha…

— Oui, bon, lâche Émily.

William la regarde d'un air espiègle.

— T'es belle quand t'es fâchée.

« Aaaaaah… »

— Ah, hum, hé, merci, répond-elle en tentant de badiner. Je suis pas certaine qu'Emma serait d'accord avec toi. Hahahahaha !

« GROSSE TARLAISE. »

— Ha, fait William. Il faudrait y aller maintenant.

« Oh… mon… Dieu ! J'ai raté un bec avec ma réaction poche !!! »

— Oui, si on veut pas qu'ils nous oublient dans le champ, hein, hahahahaha, débite maladroitement Émily qui se met à marcher à côté de lui.

« OUI ! OUI ! Oubliez-nous ici, s'il vous plaît !!! » implore-t-elle en se grattant le genou.

33.

— Devine quoi?

Émily a surgi devant le casier d'Emma avec une enveloppe cachetée dans la main.

— Tu as eu ta réponse!!! crie Emma.

— Je pense, oui!!!

— Tu es acceptée? demande Emma, déjà prête à danser la salsa du bonheur.

— Je sais pas, je l'ai pas ouverte encore.

— ÉMILY!?

— Elle était dans le courrier tantôt, répond Émily avec fébrilité. Je me suis dit que j'allais l'ouvrir pendant le dîner, avec vous, à la cafétéria.

— T'es folle?!!!! Comment tu vas faire pour attendre jusque-là??

— Je vais la laisser dans mon casier. Je viendrai la chercher tantôt.

— Non! Ouvre-la tout de suite!!!

— Je suis pas capable. On dirait que je vais me faire avaler par un monstre si je l'ouvre.

— Ben voyons, fait Emma.

— Je te le dis. Si je suis pas acceptée pour la deuxième audition, Emma, je vais mourir de déception, c'est sûr.

— Tu vas être acceptée, Émily. Ouvre donc!

— NON.

— Musti suspense!

— Je vais l'ouvrir tantôt, dit Émily en claquant la porte de son casier et en refermant le cadenas.

— T'es folle raide, Émily Faubert.

Les deux amies longent le couloir menant aux salles de classe. Le premier cours ne commence que dans une demi-heure, et elles ont prévu réviser pour leur exposé de français.

— Dis donc, est-ce que ça te pique partout, toi, depuis hier? demande Émily en se grattant le mollet.

— Non, pourquoi?

— J'sais pas. Moi, ça me gratte. Les jambes, les bras. Je fais comme des plaques rouges. Regarde!

Émily descend ses bas pour montrer ses jambes à Emma. De fait, elles sont couvertes de plaques rouges.

— Peut-être des acariens?

— Nan. La femme de ménage change les draps tous les jours.

— Une allergie aux bas ?

— Ça pique aussi sur mes bras. Je porte pas mes bas sur mes bras ! Pis depuis que je suis arrivée ce matin, ça me pique aussi sur le ventre. Pis un peu dans le dos.

— Hé ! Oui ! T'en as aussi une dans le cou.

— Hein ? Une quoi ?

— Une plaque rouge.

— Dans le cou ? dit Émily qui porte la main à sa gorge.

— Oui, ici, répond Emma en touchant la petite plaque rouge de son amie.

— Ah oui ! Ça pique ici aussi. J'avais pas remarqué encore.

— On dirait que tu fais une allergie.

— Oh… mon… Dieu, j'ai peut-être la varicelle ?

— Tu penses ? s'inquiète Emma en reculant immédiatement.

— Ben, je sais pas…

— Il me semble qu'on fait de la fièvre quand on a la varicelle. En fais-tu ?

— Je pense pas, souffle Émily en se plaquant la main sur le front.

— Musti bizarre. Tu devrais peut-être aller à l'infirmerie…

— Non non. Je me sens bien. Ça fait juste piquer, réplique Émily qui se gratte le coude.

— Bon. As-tu ta partie de l'exposé?

— Oui, fait Émily en sortant deux feuilles dactylographiées.

Les deux filles passent une quinzaine de minutes à travailler. Émily se gratte de plus en plus frénétiquement.

— NIK! crie Francis en faisant irruption dans la salle. As-tu eu ta réponse toi aussi?

— Elle était dans le courrier ce matin, oui! répond Émily qui grimace de douleur et s'arrache d'infimes morceaux de peau en se grattant.

— PIS?

— Je l'ai pas ouverte encore! Elle est dans ma case.

— Elle est pas capable de l'ouvrir pour la lire, dit Emma. C'est idiot, hein? Dis-lui, toi, que c'est débile!

— Jérémie est pris, se contente de répondre Francis en levant le pouce en l'air. Va ouvrir ta lettre, Émily! lance-t-il en quittant le salon des élèves.

— Ça piiique, geint Émily.

— Eille. Ça enfle, ton affaire, annonce Emma.

— Quoi?

— Ça ENFLE. Regarde!

Émily constate, horrifiée, que ses jambes et ses bras sont couverts de boules blanches entourées de halos rouges. On dirait… on dirait…

— On dirait des boules de PUS ! s'écrie Émily.

— C'EST du pus ! rétorque Emma en plissant le nez.

« OH… MON… DIEU ! Je suis couverte de pustules de pus ! »

— Qu'est-ce que j'ai ??? panique Émily.

— Je sais pas !!!

— Je suis en train de me transformer en crapaud !!! Est-ce que j'en ai dans le visage ? Emma !!!

— Heu… t'as comme un début de plaque rouge sur le front.

— OH… MON… DIEU !!!

— Tu vas en avoir partout !!!

— OUACH ! fait Émily qui, en se grattant, vient de crever une cloque de pus.

— Musti ouach ! Qu'est-ce que c'est que ça ? Ça coule ! dit Emma en reculant si brusquement qu'elle en tombe presque de sa chaise.

— Qu'est-ce que je fais ???

— Cours à l'infirmerie ! VITE.

— Viens avec moi !!!

— Heu… mais…

— Suis-moi de LOIN ! précise Émily.

— Ok.

Emma et Émily courent à toutes jambes vers l'infirmerie. Émily entre dans le bureau sans frapper et sans saluer l'infirmière.

— Madame Atmani !!! Qu'est-ce que j'ai ? Qu'est-ce que j'ai ?

— Émily ! Calme-toi pour le moment. Approche, je vais regarder ça.

— Ça pique ! Je capote ! Et j'ai du pus qui me coule de partout !

— Calme-toi, lui ordonne madame Atmani en observant les pustules.

— Ça piiiiiiique.

— Est-ce que c'est la varicelle ? demande Emma.

— Certainement pas, dit l'infirmière.

— Ça piiiiiiique !!!

— Ne gratte pas Émily, tu crèves les cloques.

— Les CLOQUES ?

— Les cloques de pus. Ne gratte pas.

— MAIS JE SUIS PAS CAPABLE DE PAS ME GRATTER ! crie Émily.

— Qu'est-ce qu'elle a ? lance Emma, inquiète.

— As-tu été en contact avec des mauvaises herbes, récemment ? s'informe l'infirmière en tenant le bras boursouflé d'Émily.

— Des mauvaises herbes ?

— Oui, elle l'a été! répond Emma avec aplomb. On est allées jouer dans un champ en fin de semaine.

— Ah, c'est ça, fait madame Atmani.

— C'est quoi? l'interroge Émily en ravalant ses larmes.

— Tu as été en contact avec de l'herbe à puce.

«OH… MON… DIEU!»

— J'ai des puces? demande Émily, au bord des larmes.

— Non, je te parle de l'herbe à puce. C'est une sorte de mauvaise herbe très allergène.

— Une herbe à puce?

— Elle provoque ce genre de dermite. C'est pas dangereux, ça s'attrape pas. Mais il faut surtout pas se gratter. Parce que le pus dans les cloques va te donner encore plus de boutons. Fais attention de pas porter tes mains à ton visage!

— Oh, mon Dieu! Depuis tantôt, je me suis touché le visage plein de fois!

— Arrête immédiatement.

— Qu'est-ce que je vais faire? crie Émily. Est-ce que je vais restée difforme comme ça???

— Ça peut durer quelques jours, oui.

«OH… MON… DIEU!!!»

— Il faut absolument que tu rentres chez toi et que tu ailles te doucher, poursuit l'infirmière. Tu dois tout laver à l'eau très froide pour éliminer la sève de la plante. Lave-toi les ongles. Lave tes vêtements, ceux que tu as mis quand vous êtes allées dans le champ, et tout ce qui a pu être en contact avec la sève. Ton manteau de ce matin… tes débarbouillettes…

« OH… MON… DIEU!!! »

— Comment ça se fait que j'ai rien, moi? demande Emma.

— Je sais pas.

— C'est peut-être quand tu es tombée? dit Emma à Émily.

— Ça piiiiiiiiiique.

— Mets de la fécule de maïs dans ton bain pour calmer les démangeaisons, lui conseille l'infirmière. Mais, pour le reste, il y a rien à faire. Faut juste attendre que ça passe. Tu peux appliquer de la calamine sur les cloques, ça aide.

— OH, MON DIEU!!! Ça piiiiiique.

— Je vais te faire un billet pour les cours, ajoute madame Atmani tout en prenant un carnet.

— Emmaaaaaaa, geint Émily.

— Gratte pas, Émily!

— Mais je peux paaaaas.

— Est-ce qu'il y a quelqu'un chez toi?

— Nooooon!

— Je vais y aller avec elle, madame, déclare Emma. Ce matin, c'était notre exposé de français, alors je raterai pas de matière.

— Je peux pas te faire un mot pour ça, ma belle, répond l'infirmière. Tu vas avoir une absence !

— On va aller chercher tes affaires dans les vestiaires, dit Emma en sortant de l'infirmerie.

— Ok, gémit Émily qui frissonne de partout. Merci, Emma…

— C'est pas une absence qui va me faire couler mon année, fait son amie en souriant. Je manque JAMAIS aucun cours…

C'est alors qu'elles tombent sur William au détour d'un couloir.

— Salut ! Qu'est-ce que vous faites dans…

— NOOOON ! crie Émily qui se cache derrière son sac et court jusque dans les escaliers menant à la sortie.

— Wiiiiill, je t'expliqueraiiiii, crie à son tour Emma en se lançant derrière Émily, alors que retentit la cloche.

34.

— QU'EST-CE QUE TU AS ??? s'écrie Emma en voyant son amie, allongée sur son lit, la peau couverte d'une pâte rose.

— C'est de la calamine, dit Émily sans bouger.

— C'est ROSE !?

— Oui, répond Émily impatiemment. Aurais-tu mieux aimé que ce soit bleu ? Ou à carreaux ?

— Non, non. C'est juste musti bizarre de te voir peinturée en rose. Hahahaha ! J'ai eu peur...

— Ben, il fallait que j'en mette sur toutes les cloques. Puisque j'en ai à la grandeur du corps, je me suis carrément beurrée partout comme une rôtie.

— Même dans le visage ?

— J'ai pas pris de chance.

— Wow.

— Sans commentaire, Emma.

— Je t'ai apporté un dîner, fait cette dernière en s'asseyant sur le lit rond d'Émily, au centre du solarium.

— Merci.

— C'est supposé être super efficace, de la calamine. J'ai regardé dans l'encyclopédie médicale tantôt. Mais ça disait pas que c'était rose...

— Qu'est-ce qu'ils disent sur l'herbe à puce ?

— Sensiblement la même chose que madame Atmani. Ça peut durer longtemps, mais ça peut aussi se résorber très vite. Selon les personnes.

— En tout cas, ça pique à mort, dit Émily en tressaillant.

— C'est musti épouvantable !

— Mets-en.

— Depuis tantôt que je me regarde les bras pis les jambes. On dirait que ça me pique partout, moi aussi. J'ai de l'herbe à puce psycho-somatique.

— Et William ?

— Quoi, William ?

— Est-ce qu'il l'a attrapé, ou il est juste psycho-truc, lui aussi ?

— À date, il n'a ni plaques rouges ni boutons.

— Qu'est-ce que tu lui as dit ?

— Qu'il était chanceux !

— Non, je veux dire : pour tantôt, quand je me suis sauvée ?

— La vérité. Que tu étais monstrueuse et que tu voulais pas qu'il te voie.

— BEN LÀ !

— Hahahahahahahaha ! Ce serait musti boa, hein ?

— Qu'est-ce que t'as dit, pour vrai ?

— J'ai dit qu'à cause du champ, t'avais un truc qui s'attrape pis que tu voulais pas le donner à personne. Pis que c'est pour ça que tu t'es sauvée.

— Ah, c'est mieux.

— Ouais, dit Emma fièrement. Pauvre Will. C'est à son tour de dîner tout seul ce midi. Il voulait absolument venir. Il a fallu que je déploie l'artillerie lourde pour le convaincre de pas venir avec moi pour te voir.

— Ah oui ?

« Ah oui ??? Oh… mon… Dieu ! Une chance qu'il est pas venu !!! Je suis peinte en ROSE. »

— Oui. Il est inquiet, je pense, poursuit Emma. Pis, moi, je reste musti floue dans mes explications pour pas qu'il sache que c'est des boutons pleins de pus.

— Ouais, merci, Emma.

— Ouin. Mais ça fait qu'il pense que je lui cache quelque chose. J'ai finalement dit que c'est toi qui voulais pas qu'il vienne.

— EMMA!

— Ben quoi?

— T'as vraiment dit ça?

— Qu'est-ce que tu voulais que je dise d'autre? Il était musti insistant! Pis je le savais, que tu voulais pas qu'il te voie laide comme ça!

— Merci! répond Émily, vexée.

— Ben…

— Non, non, t'as raison. J'ai l'air d'une crevette géante. C'est juste que… Qu'est-ce qu'il va penser? Il va penser que je ne veux plus le voir!!!

«Oh… mon… Dieu!»

— Tu trouveras bien une explication, dit Emma. Genre: tu veux pas lui donner ta maladie à LUI, alors que me la donner à MOI, c'est moins grave.

— Ouin.

— Je t'ai aussi apporté la revue *Fun Fun*.

— Merci.

— Pis… ton enveloppe.

— Quelle enveloppe?

— Ton enveloppe de réponse!

— Oh, mon Dieu, mon enveloppe!

— Je l'ai prise dans ta case avant de partir tantôt. Je me suis dit que tu voudrais peut-être l'ouvrir.

« Oh… mon… Dieu ! Mon enveloppe ! J'avais oublié ! »

— La veux-tu ? demande Emma en la lui tendant. J'ai essayé de la lire en la mettant devant l'ampoule des toilettes, mais ça marche pas, on voit rien. William a essayé avec un briquet, mais ça marche pas plus.

— Eille ! Vous êtes donc bien tricheurs !

— On est curieux ! corrige Emma. Ouvre-la donc ! J'attends ça depuis ce matin, moi.

— Emmaaaa ! Si j'ai pas été prise, je vais être toute seule et déprimée tout l'après-midi, couchée dans mon lit avec une glue rose pis des boutons qui piquent !

— Mais si tu es acceptée, ça va te remonter le moral !

— Je sais pas…

— Il va bien falloir que tu l'ouvres à un moment donné !

— Ouvre-la pour moi, ok ?

— Non, pas question, c'est ton enveloppe.

— Emmaaaa…

— Tout le monde a ouvert la sienne ! C'est nono de pas l'ouvrir !

— Qui ça, tout le monde ?

— Ben, Jérémie, Kumba, dit Emma avant de se mordre la joue.

— Kumba? Elle a ouvert sa lettre? Comment tu le sais? Elle t'a écrit?

— Ben… heu… hum… heu…

— Emma Nolin! Qu'est-ce qu'il y a?

— C'est… heu… hum…

— Emma!!!

— C'est William qui me l'a dit, lâche Emma.

— DE QUOI?

— Il me l'a dit tantôt.

— Comment il peut être au courant pour l'enveloppe de Kumba???

— Elle a dû lui dire. Ils doivent se parler, je sais pas, moi.

— DE QUOI???

— Émily, relaxe. Ça veut rien dire…

— EMMA! William et Kumba se parlent sans nous!!! Sans MOI! Je savais même pas qu'ils avaient échangé leurs adresses de courriel ou même leurs numéros de téléphone! Est-ce qu'ils se voient aussi? Genre au cinéma? Dans des champs super romantiques? éructe Émily.

— Heu… le lien du champ romantique?

— Je me comprends.

Émily bout de rage.

«KUMBA ET WILLIAM? JE LE SAVAIS!»

— Comment il t'a dit ça? lance Émily d'une voix blanche.

— Ben, il m'a demandé si tu étais à l'infirmerie à cause du choc de ton enveloppe, parce qu'il avait appris, par Kumba, que les réponses étaient arrivées.

— Il a donc parlé à Kumba CE MATIN!? Genre, tôt? Avant le début des cours?

— Ben... oui, ça doit.

— Mais comment il a pu lui parler, puisqu'elle va dans une autre école?? demande Émily, de plus en plus paniquée.

— Je sais pas, Émily. Peut-être que Kumba a reçu son enveloppe hier. Et qu'elle lui en a parlé à ce moment-là, où...

— Tu lui as pas demandé?

— J'ai pas pensé à ça quand il me l'a dit, répond Emma, gênée.

— OH MON DIEU, ils ont dû s'appeler!!!

— J'imagine, oui, souffle Emma, mortifiée. J'admets que, sur le coup, j'ai vraiment pas réalisé.

— Oh, mon Dieu!

— Mais ça veut peut-être rien dire, répète Emma.

— Tu disais pas «peut-être», tantôt!

— Émily, calme-toi. Ta crème antiseptique est en train de craquer de partout.

— Je m'en fous, de ma crème!

Émily a envie de se gratter au sang.

— Est-ce qu'elle fait partie des cinquante candidats qui sont acceptés, elle aussi? dit-elle en se retenant pour ne pas hurler.

— Oui, fait timidement Emma et, par réflexe, elle recule un peu.

Émily lui arrache presque l'enveloppe des mains et déchire le rabat avec colère.

«Non mais! Si vous pensez que vous allez fêter sans moi…» songe-t-elle en dépliant la feuille, les mains tremblantes.

— Madamoiselle Émily Faubert…, lit Émily.

«OH… MON… DIEU!»

— Pis? demande Emma en écarquillant les yeux.

— Oh… mon… Dieu!

— Pis??

Emma regarde son amie qui vient de fermer les yeux.

— Émily? Ça va?

Émily ouvre de nouveau les yeux et inspire un grand coup avant de sourire à Emma.

— J'ai réussi. Je passe le premier tour.

35.

Me voici au commencement
Au début de l'action, du mouvement
Sur la ligne je danse
Tout est possible je pense
Et je coche présent…
— Vincent Vallière, *Et c'est un départ*

De : Émily Faubert (emilfaubert@hotmail.com)
À : Kumba Dinamukuenu (sistakumba@hotmail.com)
Objet : StarAcAdo !

Kumba ! J'ai appris par William que tu avais été
choisie ! Moi aussi !

SUPER. ☺

On va se voir là-bas pour les trois journées
d'examens ! ! !

Luv
Émily xxx

De : Kumba Dinamukuenu (sistakumba@hotmail.com)
À : Émily Faubert (emilfaubert@hotmail.com)
Objet : RE : StarAcAdo

Oui ! Je suis vraiment contente ! ! ! Mais je pensais qu'on
se voyait vendredi chez Raphaël ! Tu seras pas là ?
Bises

Kumba lala
xxx

De : Émily Faubert (emilfaubert@hotmail.com)
À : Emma Nolin (emmanolin@hotmail.com)
Objet : OH MON DIEU !

Emma ! Est-ce que William t'a dit qu'il allait chez
Raphaël, vendredi, pour le genre de party meurtre
et mystère ? ? ? ? ? ?
(C'est *full* PLATE un party meurtre et mystère ! ! !)
Il m'en a même pas parlé ! ! ! Je pensais pas qu'il y allait !?
Avec KUMBA ! ?

JE CAPOTE.
Émil xxx

De : Émily Faubert (emilfaubert@hotmail.com)
À : William Beauchamp (willskate@gmail.com)
Objet : Party meurtre et mystère

Hé Will ! Es-tu au courant qu'il y a un party meurtre et mystère chez Raphaël Boulos vendredi ? J'adore ça, moi, les partys meurtre et mystère ! On y va-tu ?

Émil

De : Emma Nolin (emmanolin@hotmail.com)
À : Émily Faubert (emilfaubert@hotmail.com)
Objet : RE : OH MON DIEU !

C'est quoi, le rapport avec Will ? C'est moi qui ai invité Kumba pour vendredi.
Tu m'as dit que tu aimais pas ça pis que ça te dérangeait pas que j'y aille quand même ! J'ai juste invité Kumba à venir avec moi pour pas y aller toute seule ! Will est même pas au courant, je pense.

xxx4ever
Emma

De : William Beauchamp (willskate@gmail.com)
À : Émily Faubert (emilfaubert@hotmail.com)
Objet : RE : Party meurtre et mystère

Ok. Si tu veux.

Will

« MAUDITE MARDE. »

36.

— Tu es vraiment très maquillée ! dit William.

— T'aimes pas ça ?

— Non, non, au contraire. C'est juste… différent.

Émily a mis le paquet pour cacher le plus possible les derniers boutons qui lui restent. La dermite provoquée par l'herbe à puce est presque terminée, mais certains petits boutons n'ont pas encore disparu.

« Des boutons ! ! ! ! S.O.S. fond de teint ! »

Le problème, c'est qu'avec du fond de teint, ce sont les lèvres qui ont ensuite l'air trop pâles.

« C'est top débalancé ! S.O.S. rouge à lèvres ! »

Émily a alors passé sur ses lèvres le bâton de rouge qu'elle s'est acheté l'année passée sur un coup de tête (à cause de la pub de Taylor Swift), mais qu'elle n'avait jamais encore essayé.

« Top trop rouge ! » se disait-elle.

Mais, aujourd'hui, il est parfait. Il fait oublier les boutons d'herbe à puce.

Avec du rouge à lèvres, ce sont les yeux ensuite qui ont l'air moins pétillants.

« S.O.S. ombre à paupières ! »

Émily a donc appliqué sur ses paupières de l'ombre dorée trouvée dans la salle de bain de sa mère, avant de compléter avec du mascara.

« Bon, ça va faire. »

Elle ne s'est pas risquée à faire un trait de crayon traceur. .

« Suis-je TROP maquillée ? »

Émily se demande si le commentaire de William est un compliment ou non.

« Est-ce que j'ai l'air d'une pitoune ? Oh… mon… Dieu ! J'ai l'air d'une pitoune ! »

— Le maquillage de pitoune, c'est à cause du personnage, se défend Émily.

— Ah ? Mais tu joues pas une humble femme de chambre ? demande William en pointant du doigt le tablier blanc qu'elle a revêtu pour jouer son rôle.

— Oui, répond Émily qui cherche à la vitesse de la lumière une réponse intelligente. Mais c'est du théâtre ! Et au théâtre, on se maquille ! Non ?

« Ouais. Bon. »

— Pourquoi t'es pas déguisé, toi ? demande Émily. Tu devais pas être en dealer de drogue ?

— J'ai des lunettes noires dans mon sac et des faux billets de banque dans ma poche, répond-il en les exhibant devant Émily.

— Wahou! On dirait des vrais!

— Oui, hein? Une chance que j'ai trouvé ça, parce que c'était pas facile de décider comment m'arranger. J'ai pas ça, moi, des grosses chaînes en or, dit-il en s'esclaffant.

— T'aurais dû me le dire, je t'en aurais prêté! Ma mère en a plein.

— Une chance que je te l'ai pas dit!!! Je me vois pas vraiment avec les bijoux de ta mère…

— Hahahahaha!

Émily marche sur le trottoir aux côtés de son ami. Elle déteste profondément les soirées meurtre et mystère. Et voilà qu'elle doit faire semblant d'adorer ça.

« Je peux pas croire que je me ramasse dans une soirée meurtre et platitude. Et que je traîne William dans un endroit où sera Kumba, en plus!!! »

Émily a envie de se frapper la tête contre tous les troncs d'arbres qu'elle trouve sur sa route.

— Ça va être super le fun, hein! ment-elle en tentant de se montrer enthousiaste.

— Ouin. Je suis pas un amateur de ces soirées-là, moi, répond William.

« MOI NON PLUS ! ! ! »

— Oh, répond Émily en baissant les yeux.

— Mais, avec toi, ça me dérange moins.

« Aaaahh ! ! ! Qu'est-ce que tu veux dire par làààà ! ? »

— C'est là, dit Émily en montrant un jardin à sa droite.

« C'est là ? Tu aurais pas pu répondre autre chose que "c'est là" ? ? ? Surtout que t'as pas du tout envie d'aller LÀ ! »

Émily sonne à la porte de l'immense maison dont le jardin donne sur la rivière des Prairies. Raphaël vient leur ouvrir, un chapeau melon sur la tête.

— Salut ! Entrez ! Voyons, maudit..., grogne-t-il en tentant de dégager sa grande canne en bois du cordon du tablier d'Émily.

Ça commence bien ! Un peu plus et Émily se retrouvait toute nue devant tout le monde.

— Scuse, Émily, fait-il. Ça fait partie de mon costume, la canne.

— C'est rien.

— Salut ! lance Emma qui vient vers eux. C'est musti fun que vous soyez là ! Eille, t'es donc ben maquillée, Émily !

— Ouais, répond Émily en lissant son tablier. C'est cool, aussi, tes lulus, rétorque-t-elle, piquée au vif.

« Non mais. »

Emma porte deux lulus nouées avec des élastiques roses et traîne sous son bras une poupée Charming.

« C'est pas super sexy, ça non plus, mettons. »

— Ouin, dit Emma en portant sa main à l'une de ses couettes. J'étais déçue au début, de jouer le rôle d'un enfant, mais, en même temps, je vais être crédible à cause de ma taille, ajoute-t-elle avec un sourire.

« Wow. Elle aime vraiment beaucoup les soirées meurtre et poche… Doit-on en plus être crédibles ??? Pffff. »

— Salut ! fait Kumba qui vient d'émerger d'un salon. Hé, Will ! T'es là, toi ?

« Damnation ! »

Il a fallu que Kumba tombe sur le rôle de l'espionne. Elle est donc tout habillée de vêtements noirs moulants et porte un foulard noué sur ses cheveux. Elle n'a enfilé qu'un large bracelet argenté qui miroite sur sa peau noire. Bref, elle est sublime.

« Et moi, je porte un tablier avec du fond de teint ! Il est pas question que je mette le petit chapeau de bonne. PAS QUESTION ! »

— Hé ! Moi non plus, je pensais pas que tu étais là, répond William en lui souriant.

« Oh… mon… Dieu ! Il a l'air vraiment super content de voir Kumba ! »

Celle-ci s'empresse toutefois de serrer Émily dans ses bras.

— Oh, Émily, c'est trop cool pour StarAcAdo ! On va être ensemble pour les trois jours d'ateliers ! lance-t-elle.

— Oui, moi aussi, je suis contente, dit Émily, touchée malgré tout par la réaction de son amie.

— On va avoir vraiment du fun !

« Beaucoup plus que ce soir, c'est sûr », pense Émily.

— T'es donc ben maquillée !? s'étonne alors Kumba.

— C'est pour être plus crédible, affirme Émily.

— Wow ! Tu prends ça au sérieux, toi, les soirées meurtre et mystère ! Cool.

— Ouais. Cool, hein ? répond Émily en remerciant le ciel de ne pas être Pinocchio et d'avoir un nez qui garde sa taille normale quand elle ne dit pas tout à fait la vérité.

— Ok, tout le monde, je vais vous expliquer le fonctionnement de la soirée, déclare Raphaël en demandant d'un geste à ses invités de venir autour de lui.

— On est pas beaucoup, glisse Émily à Emma.

— Ben, on est douze, comme d'habitude.

— Oh.

« C'est vrai, c'est pas vraiment un party…
C'est une soirée meurtre et poche. »

— Tu vas voir, c'est super tripant, fait
Emma.

— Ouais! répond Émily avec un enthousiasme qui sonne tellement faux que son amie
la regarde étrangement.

— Tu mets pas ton petit chapeau? demande cette dernière.

— Heu… NON!? Si tu vois ce que je veux
dire…

— Pourquoi?

— Ben, si le Chung était là, garderais-tu
tes lulus?

— Hum…, réfléchit Emma en hochant la
tête.

— C'est ça, t'as compris. Kumba a l'air
d'une reine de beauté africaine, alors compte
pas sur moi pour mettre une capine à froufrous
sur ma tête.

Émily remarque avec joie que William
quitte Kumba, assise sur le canapé, pour venir
la rejoindre sur la causeuse.

— Nous allons tous piger des questions
qu'il faudra poser pendant la soirée, explique
Raphaël en présentant un chapeau. Le but
du jeu est de trouver qui a tué la victime, ici.

Raphaël pointe un doigt vers un toutou
ensanglanté, placé bien en vue sur la table basse.

« Brrr. C'est un peu… heu… macabre pour rien ? » pense Émily.

— C'est un chien qui a été tué ? demande une fille rousse.

— Non, c'est juste que j'avais pas de mannequin en forme d'humain.

Émily lève les yeux au ciel.

« La soirée va être longue. »

William se penche vers elle.

— Je pense que le toutou ne respire plus, murmure-t-il.

Émily réprime un rire.

« Ouf, il a pas l'air de trop s'emmerder. »

— On pige ? s'impatiente Emma, visiblement emballée.

— Allez-y.

— À partir de quand on doit entrer dans nos rôles ? lance William à voix haute.

— Maintenant ! répond Raphaël en tendant le chapeau.

— Ok.

— On peut commencer ? demande Kumba.

— Oui.

— Alors, j'ai une question pour le dealer.

« Évidemment ! »

— Vas-y ! dit William en se penchant pour mieux l'écouter.

— Que faisais-tu le soir du 9 novembre, à 18 h ?

— Je sais pas ! fait William. Qu'est-ce que je réponds ?

Tout le monde éclate de rire, sauf Émily qui ne comprend rien au jeu, elle non plus.

— Les réponses aux questions sont écrites à l'endos de ton carton d'invitation, William, explique Raphaël, hilare.

— Oh. Oups ! lâche William avant de s'esclaffer à son tour.

Émily s'empresse de prendre son carton d'invitation, plié en quatre dans sa chaussure.

« Pourquoi j'ai cette mauvaise habitude, aussi !!! » songe-t-elle en espérant que le bout de papier ne sente pas trop mauvais.

« C'est pratique pour les billets de cinéma pendant le film, mais PAS pour les cartons d'invitation pendant une soirée !!! »

— Attendez un instant, madame, dit William à Kumba. Je vais aller chercher ma réponse dans mon sac.

Ce qui déclenche le rire rauque de celle-ci. Un rire qu'Émily trouve adorable.

Malheureusement.

« Top cool, le rire. Maudit. Moi, j'ai un rire… ordinaire ? »

— Hahahahahaha !

« Ouais ! Ordinaire », pense Émily qui vient de lâcher un rire juste pour voir.

— Ok, j'ai une question pour la petite fille en attendant, déclare la rousse.

— Oui? répond Emma, tout excitée.

— Est-ce que tu t'étais chicanée avec la victime avant sa mort? poursuit la rousse.

— Oui, fait Emma. Il m'avait volé ma poupée.

«Oh oh! Ça doit être elle, la tueuse!... Eille! On dirait que je suis en train de jouer, moi, là!?»

William se rassoit à côté d'Émily et sourit à Kumba.

— Tu as ta réponse? demande cette dernière.

— Le 9 novembre dernier à 18 h, j'étais avec Billy, affirme William en lisant son carton.

— Qui joue Billy?

— C'est moi! dit un garçon boutonneux qui porte un appareil dentaire et qui a revêtu un veston beaucoup trop grand (probablement celui de son père). Je confirme ce qu'il dit, c'est écrit sur mon carton, poursuit-il.

William sourit à Kumba qui lui rend son sourire.

«Arrêtez de vous sourire, bon!»

— J'ai une question pour la domestique, intervient Raphaël.

«Je veux que le jeu finisse et qu'on rentre tous chez nous! Maintenant!!!»

— Émily! appelle Emma en lui donnant un coup de coude.

— Quoi? répond Émily en sursautant.

— Il y a une question pour toi.

— Oh.

— Pourquoi vous n'avez pas appelé la police quand vous avez trouvé le corps de la victime? demande Raphaël sur un ton sérieux.

— Heu…, hésite Émily en jetant un coup d'œil sur son carton d'invitation, devenu tout mou à cause de son séjour dans sa chaussure.

« Merde. Où sont les réponses? »

En dépliant son carton, Émily constate que l'endos du papier est tout blanc. Aucune réponse n'y est inscrite.

« Les réponses ne sont-elles pas sur le carton d'invitation?? C'est ce qu'il a dit, non? Où sont mes réponses à moi? »

Émily approche le carton de son visage. Il n'y a rien d'écrit, même en tout petit. Et de l'autre côté, ce sont uniquement les directives de la soirée.

« Merde merde merde. »

— Heu… attendez un instant…, dit Émily qui fait semblant de faire durer le plaisir.

« QU'EST-CE QUE JE FAIS!? »

— La réponse est à l'endos du carton! souffle Emma, volant au secours de son amie.

— Je le SAIS! répond Émily.

«Est-ce que c'est parce que j'ai trop sué du pied? L'écriture s'est effacée? Oh… mon… Dieu! L'écriture s'est diluée dans le jus de pied!!!»

— Je suis désolée, lâche finalement Émily, la mort dans l'âme. J'ai pas de réponse sur mon carton. L'encre a dû… heu… s'évaporer…

«Je suis en train de mourir.»

Emma se prend la tête à deux mains, alors que Raphaël regarde Émily d'un air ahuri.

— Mais pourquoi tu as dit ça??? demande Raphaël.

— Parce que c'est vrai, il y a plus rien sur mon carton.

— ÉMILY! s'écrie Emma. Si tu as pas de réponses sur ton carton, c'est que tu dois les inventer. C'est pas parce que l'encre s'est évaporée, c'est parce que tu es la tueuse!!!

— Oh non!!!

«Oh… mon… Dieu…»

— Et puisque que tu l'as dit à voix haute, le jeu est fini! se désole Raphaël.

— On n'a plus rien à deviner, maintenant! dit la rousse.

«OH… MON… DIEU!»

Émily regarde Emma avec des yeux tellement catastrophés que celle-ci éclate de rire.

«Hu-mi-li-a-tion!!»

— Je peux pas croire que tu viens de faire ça! hoquette Emma, pliée de rire.

— Je suis vraiment… vraiment…

« Est-ce qu'il y a un service de transport express pour l'enfer ? »

— C'est pas grave, Émily, assure Raphaël, j'avais oublié de le dire au début. C'est ma faute.

— Ben non, c'est moi ! répond Émily qui sent son nez devenir cramoisi. Je suis vraiment… Excusez-moi, je viens vraiment de bousiller la soirée, hein ?

Elle regarde William qui fait « non » avec ses lèvres avant de lui sourire.

— On a juste à faire autre chose ! lance Kumba.

— On pourrait jouer à Oui-Ja, propose quelqu'un.

— Oui !!! s'exclame le groupe à l'unisson.

« Gros, gros ouf… » se dit Émily en voyant que les autres ne sont pas fâchés contre elle.

— On ouvre les sacs de croustilles tout de suite, d'abord ! fait Kumba.

— Est-ce qu'il y en a au ketchup ? demande William en la suivant dans le couloir.

— Je sais pas, viens voir.

« Heu… pas ouf, finalement… », songe Émily qui a toujours envie de rentrer chez elle. IMMÉDIATEMENT.

Tout de suite.

37.

— Bienvenue à tous! lance une dame drô-
lement habillée, dont les cheveux sont retenus
en l'air par une pince.

Émily la reconnaît. C'est la juge aux cheveux roux qui était présente à l'audition.
Seulement, voilà, aujourd'hui elle porte des
leggings bariolés et une blouse orange vif.

« Elle a l'air beaucoup moins sévère
aujourd'hui. Question de look, sans doute... »
se dit Émily.

— Je m'appelle Madeleine Aubin, je suis
metteure en scène, et c'est avec moi que vous
allez passer la journée d'atelier aujourd'hui.

Un murmure parcourt le groupe d'adolescents assis dans l'amphithéâtre. Plusieurs
semblent fous de joie d'apprendre qu'elle sera
leur professeur d'un jour.

«Oh… mon… Dieu. Elle est peut-être célèbre et je la reconnais pas?»

— Sais-tu c'est qui, cette femme-là? demande Émily en se retournant vers Kumba qui est assise à ses côtés.

— C'était une des juges, répond son amie de sa voix grave.

— Je sais, mais je veux dire: est-ce que c'est une célébrité?

— Inconnue dans le champ de patates! fait Kumba. Tu la connais, toi?

— Non, moi non plus.

«Pourquoi elle parle de champ?!!»

— Heu… pourquoi tu parles d'un champ de patates?

— C'est une blague. Inconnue dans le champ de patates.

— Ah.

Émily inspire profondément.

La journée a vraiment mal commencé. Tout d'abord, le courriel de confirmation des trois jours d'ateliers précise: «Habillez-vous confortablement.» Émily a donc enfilé son large pantalon de jogging préféré (un molleton du designer Alexander Wang) et un simple t-shirt blanc Calvin Klein.

Or, toutes les autres candidates (Kumba comprise) se sont habillées sexy! Plusieurs ont enfilé des *skinnies* sur des blouses vaporeuses ou des camisoles décolletées. D'autres ont choisi des survêtements moulants du style Lulu Lemon! Bref, toutes les filles sont en moulant. Sauf elle.

Émily a donc l'air d'une grosse patate (certes, une patate dans un pantalon griffé, mais une patate quand même). Une patate qui passe ses journées à manger des crottes de fromage devant la télé.

«TOP HU-MI-LIANT!!!»

Deuxièmement: Émily a attaché ses cheveux en queue de cheval en sortant de la douche ce matin. Maintenant qu'elle voit que toutes les filles ont une jolie mise en plis, elle ne peut plus retirer son élastique pour détacher ses cheveux, puisqu'ils ont SÉCHÉ avec le pli de la queue de cheval.

«C'est quoi, l'idée de la mise en plis au fer alors qu'on doit être habillé confortable???» peste Émily, qui remarque que même Kumba a dû se lever très tôt pour gonfler ses cheveux en style afro.

«Pourquoi suis-je la seule qui soit habillée confortablement POUR VRAI?»

Troisièmement: Kumba mentionne un champ. Bon, un champ de patates, mais un champ quand même.

William l'a-t-il emmenée dans un champ, elle aussi? Lui a-t-il raconté la mésaventure d'Émily? En ont-ils ri ensemble?

— Vous êtes cinquante à avoir été sélectionnés sur des milliers de candidats, poursuit madame Aubin. Ça veut dire que vous êtes parmi les meilleurs de la province. Vous pouvez déjà être très fiers. Je vous encourage donc à considérer ces trois jours d'ateliers comme une expérience plutôt que comme un concours.

« Ben là ! Tsé ! C'EST un concours ! se dit Émily, qui trouve ce conseil complètement idiot. C'est probablement LE concours de notre vie, en plus ! »

— Pendant ces trois jours, vous allez côtoyer des professionnels de plusieurs domaines artistiques, et vous serez amenés à travailler avec tous ces camarades talentueux autour de vous.

Kumba sourit à Émily, qui ne pense qu'à son pantalon de jogging bouffant.

— Je vous conseille donc de profiter de chaque minute que vous passerez ici pour apprendre, créer et profiter de votre chance, dit madame Aubin. Seuls quinze d'entre vous seront choisis. Alors, sachez saisir l'occasion qui vous est donnée de vivre une expérience unique sans penser à l'élimination qui aura lieu à la toute fin.

« Ben oui, ben oui. »

— Difficile de pas y penser, quand même, glisse Kumba à l'oreille d'Émily.

— C'est ce que je me disais.

— Chut! fait une fille menue en jeans aux cheveux blonds filasses, tout près d'elles.

« Non mais, pour qui elle se prend, elle, avec son look Gemma Ward? »

— Aujourd'hui, nous allons travailler l'interprétation. Dans le métier de la chanson, plusieurs avenues s'offrent à vous. Pas seulement celle des spectacles solos ou des studios. Les comédies musicales sont florissantes en ce moment. Et c'est cet aspect que nous allons explorer aujourd'hui. L'aspect théâtral.

— Cool! s'exclament plusieurs candidats autour d'Émily.

Celle-ci jette un coup d'œil à Jérémie, assis quelques rangées plus loin. Il est tout souriant.

« Il va être parmi les meilleurs aujourd'hui, lui », se dit Émily, qui sait pertinemment que Jérémie a un réel talent en art dramatique.

Elle remarque alors qu'elle n'est pas la seule à regarder son camarade d'école. Plusieurs candidats ont l'air de l'avoir reconnu. Même Kumba garde ses yeux fixés sur lui.

— Eille! C'est pas le gars de la pub de Piscine Plus, là-bas?

— Oui, dit Émily en soupirant. C'est Jérémie Granger. Il fait aussi la pub de Réactène maintenant.

— Oui ! Je l'ai vue, cette pub ! Comment ça se fait que tu connais son nom ?

— Il va à mon école.

— COOL ! s'écrie Kumba.

— Ouais, pas tant que ça…, se contente de répondre Émily.

« Si tu savais, ma vieille ! »

— Moi, je le trouve super beau, ce gars-là, lance Kumba en le fixant toujours.

— Oui, il est beau. Mais c'est pas parce que…

Émily s'interrompt d'un coup.

« Oh… mon… Dieu ! C'est ma chance ! Si Kumba tombe amoureuse de Jérémie, elle va lâcher William ! Youpi ! ! ! »

— Eille, j'ai une idée ! reprend-elle. Je vais te le présenter tantôt ! C'est mon grand ami ! On a joué dans le même *band* l'année passée.

— Ah OUI ? ? ?

— Oui, répond Émily en se félicitant de son idée.

— Top cool ! ! ! s'exclame Kumba.

— Ouais.

« Top cool ? Je dirais même GÉ-NIAL ! »

— Chut ! refait Gemma Ward en plissant le front.

« Elle est donc ben fatigante, elle ! »

— Nous allons commencer par des exercices de confiance, continue madame Aubin.

En théâtre, tout repose sur la confiance entre les partenaires de jeu. Je vous invite donc à quitter vos sièges et à monter sur la grande scène devant vous.

Tous les participants obtempèrent. Émily a déjà les jambes pleines de fourmis.

— Heureusement qu'on bouge, parce que sinon le stress m'aurait tuée, dit Kumba.

— Oui, moi, c'est pareil.

Madame Aubin forme cinq équipes de dix candidats. Émily et Kumba se retrouvent avec le clone de Gemma Ward et sept inconnus.

— L'un d'entre vous va aller au centre du cercle, explique madame Aubin, et se laisser tomber vers les autres en fermant les yeux. S'il a confiance, il se laissera réellement tomber car il saura que les autres sont là pour le rattraper.

« OH… MON… DIEU ! »

— Vous êtes prêts ?

« NON ! »

Émily regarde Kumba qui n'a pas l'air effrayée du tout. Gemma Ward s'est spontanément précipitée vers le milieu du cercle pour être la première à faire l'exercice.

« Double crotte ! C'est vrai ! Les juges doivent tenir compte de l'enthousiasme et de la participation active ! Allez, Émily ! Hop la vie ! »

Elle sourit exagérément en regardant Gemma Ward et en lançant un gros « yé ! ».

«Oh... mon... Dieu, j'ai l'air ridicule!»

— Allez-y! dit madame Aubin à l'autre bout de la scène.

«Oh... mon... Dieu!»

Gemma Ward s'est vraiment laissée tomber comme une masse. Elle n'a eu aucune hésitation avant de le faire. Le garçon aux cheveux pleins de gel qui se trouve à côté d'Émily n'en revient pas.

— Hé! Cool! s'exclame-t-il.

Mais Gemma se contente de sourire timidement en se tournant une mèche de cheveux et en glissant un doigt dans sa bouche avant de retourner à sa place.

«Oh! Qu'est-ce qui lui prend? Elle n'était pas gênée du tout, tantôt!»

— N'oubliez pas de changer de participant! crie madame Aubin.

— J'y vais! se lance Émily en feignant une grande excitation.

«OH... MON... DIEU! Je veux pas, je veux pas, je veux pas!»

— Cool, Émily! fait Kumba.

— J'ai confiance! s'écrie Émily en pensant tout le contraire.

— *Go!*

Émily ferme les yeux en gardant son faux sourire.

«Je vais GAGNER ce concours!»

Elle s'élance donc avec beaucoup trop de force dans le vide. Pendant une fraction de seconde, elle a l'impression qu'elle va s'écraser sur le plancher, et l'étourdissement qu'elle ressent est presque insupportable.

Puis elle frappe lourdement un corps (« Ouf! ») qui vacille (« Nooon!... ») et qui s'écroule avec elle sur le plancher.

— AOUCH! Non mais, t'es malade, toi? crie une voix aiguë et nasillarde.

Émily a eu tellement peur qu'elle n'ose plus bouger, allongée sur le sol.

« Oh... mon... Dieu! »

« J'ai certainement un os cassé!! »

« Oh... mon... Dieu! »

« Il va falloir que je parte en ambulance devant tout le monde!!! »

— Houla! Comment ça va ici? fait madame Aubin qui arrive en courant.

— Elle est malaaade, elle! crie encore la voix aiguë. Elle s'est donné un élan pour me faire tomber!

Émily ouvre les yeux et constate que la voix nasillarde appartient à... la fausse Gemma Ward, assise par terre, en larmes.

« En larmes? Hé! Mais c'est moi qui suis tombée! »

— Est-ce que ça va? lance le garçon au gel dans les cheveux en tendant sa main à Gemma.

— Non, ça va pas, je pense que je me suis fait maaaal.

Kumba est la seule à se pencher au-dessus d'Émily.

— Es-tu correcte ? demande-t-elle, catastrophée.

— Je pense, oui, dit Émily qui se redresse lentement.

— As-tu mal quelque part ?

Émily est tellement humiliée que, quand elle voit qu'elle n'a rien de cassé, elle est debout en quelques secondes.

— Non, non, je vais bien.

« Gros ouf ! »

— J'ai mal au ventre…, geint Gemma. Elle s'est brutalement lancée sur mon foie, cette folle !

— Elle pouvait pas savoir que c'était TON foie, réplique Kumba du tac au tac. Elle avait les yeux fermés !

— Elle s'est donné un élan.

— Comment t'appelles-tu ? demande madame Aubin, la frange rousse frémissante, en regardant Émily.

« C'EST PAS VRAI ! La juge va prendre mon nom !!! C'est ELLE qui m'a pas rattrapée ! »

— Je… je…

— Il faut faire attention quand on fait cet exercice, déclare madame Aubin.

« Eille ! La victime, c'est moi ! ! ! » a envie de crier Émily dans son gros pantalon de jogging.

— Je m'appelle Émily Faubert, dit-elle en baissant les yeux. Je m'excuse. Je comprends pas ce qui s'est passé…

— Il ne faut pas se donner un élan, Émily, il faut seulement se laisser tomber.

— Mais je n'ai pas…

— C'est pas grave, l'interrompt madame Aubin. J'ai peut-être mal expliqué.

— Non non, répond Émily. Mais je n'ai vraiment pas…

— J'ai maaal, gémit la fausse Gemma Ward.

Émily réalise alors que, Kumba mise à part, tout le cercle est maintenant autour de la mince blonde qui a l'air d'un petit animal blessé. Un garçon d'une autre équipe lui tient même la main gauche, pendant que Gel-dans-les-cheveux lui tient la droite.

« Je rêve ? ! ! »

— Viens, lance madame Aubin. On va aller prendre un peu d'eau, d'accord ?

— Oui, fait la fausse Gemma Ward en se levant et en boitant jusqu'à la sortie.

« En boitant ! ? »

— Elle m'a pas rattrapée, cette nouille ! chuchote Émily à Kumba.

— Je sais, j'ai vu.

— J'espère qu'elle est correcte, dit quelqu'un dans le cercle.

— Pauvre elle, souffle un autre.

« Eh ben, ça commence SUPER bien ! » pense Émily en frottant son coude endolori.

38.

— Vous êtes prêts à passer à une autre étape ? crie madame Aubin en frappant dans ses mains.

— OUIIIIII !

Émily essaie de se remettre de sa mésaventure de la matinée. Elle est bien déterminée à se faire remarquer pour une bonne raison, cette fois. Alors, elle crie : « OUIII » en même temps que tous les autres.

— As-tu vu la folle ? lui chuchote Kumba en pointant du doigt le sosie de Gemma Ward, assis la tête sur les genoux.

— Wow, elle a vraiment l'air de pas se sentir bien. Elle est peut-être vraiment blessée ?

— Ben non. Elle a rien. Elle fait semblant.

Toutefois, des dizaines de candidats sont encore autour d'elle. Même madame Aubin va lui glisser une main dans les cheveux, avant de poursuivre son atelier.

— Merci à tous ! Vous avez été super ! dit-elle au groupe de candidats en balayant la salle du regard.

« Ouais, tous sauf moi, je gage ? »

Jérémie regarde Émily d'un drôle d'air.

« Est-ce qu'il a vu ce qui s'est passé ??? » se demande-t-elle.

— Nous allons maintenant travailler les émotions, enchaîne madame Aubin. L'émotion, c'est un aspect ultra important de votre métier de chanteur et de chanteuse. Vous devrez faire passer l'émotion de vous-même au public.

« Cool ! » se dit Émily.

Madame Gentilly lui a souvent fait faire des exercices en ce sens.

« Je vais me reprendre avec ça !!! »

— Vous allez monter deux par deux sur la scène, continue madame Aubin. L'exercice consiste à poser une question à votre partenaire de jeu. L'autre doit alors montrer au public une émotion avant de répondre. Vous avez compris ?

« Heu... non ? »

— OUI ! répondent en chœur tous les participants.

« Zut ! »

Gemma Ward court sur la scène et Jérémie va la rejoindre.

« Tiens, elle ne boite plus ? Hum… Oh ! MAUDITE CROTTE TRIPLE ! J'ai encore oublié de me précipiter pour montrer ma motivation !!! » peste Émily intérieurement.

— Nous avons deux participants qui n'ont pas peur de briser la glace, dit madame Aubin en secouant sa tignasse rousse. Bravo !

« Gnégné. »

Jérémie est désigné pour poser la question. Gemma Ward se place donc au milieu de la scène et ferme les yeux pour se concentrer (« Top exagéré ! »), puis les ouvre de nouveau. Jérémie s'approche d'elle en imitant la démarche d'un voyou.

— Hé, as-tu du change ? demande-t-il à sa partenaire de jeu.

« Il est vraiment bon en théâtre ! »

Mais Gemma a une réaction surprenante. Au lieu de simuler la peur ou encore l'agacement, elle regarde attentivement Jérémie avant de lui sourire d'un air aguichant.

— Oui, j'en ai, répond-elle d'une voix super sensuelle.

Jérémie lui-même en reste abasourdi.

— Bravo ! crie madame Aubin. C'est un excellent exemple que vous nous avez donné.

Et en plus, c'était une réaction très originale. Bravo, Amanda.

«Alors comme ça, elle s'appelle Amanda!»

— On inverse maintenant les rôles, dit madame Aubin.

Jérémie se place au centre de la scène. Amanda s'approche de lui avec une démarche enfantine. On dirait une petite fille qui joue à la marelle.

— Est-ce que tu me trouves belle? demande Amanda à Jérémie.

«Oh… mon… Dieu! Elle a vraiment choisi cette question-là???»

Jérémie se fige quelques secondes. Émily retient son souffle.

«Elle a réussi à lui faire perdre sa concentration, la garce!!!»

Mais Jérémie s'empresse d'accentuer l'effet de surprise. Il regarde par terre, l'observe de nouveau, met ses mains dans ses poches, se racle la gorge pour finalement lui tourner le dos et répondre:

— Oui. Trop.

Madame Aubin a l'air dans tous ses états. Elle tourne sur elle-même, porte les mains à son visage et finit par applaudir chaleureusement.

— Mes enfants, vous êtes vraiment excellents tous les deux. Wow. Il y a du talent, ici, aujourd'hui !!! Ce n'était pas facile pour toi, jeune homme. Quel est ton nom ?

— Jérémie Granger.

— Bravo, Jérémie, répète madame Aubin. Amanda t'a joué un tour, mais tu as bien réagi.

Émily est rassurée pour Jérémie. Il n'est pas toujours agréable avec elle, mais, après tout, c'est son ami.

« Non mais, quel boa, cette Amanda ! »

— Deux autres concurrents, s'il vous plaît, lance madame Aubin avec emphase.

Émily s'élance sur la scène après avoir pincé Kumba.

« Dépêche ! Dépêche ! »

Mais Kumba n'a pas réagi à temps, et un garçon très grand aux cheveux longs saute sur la scène avant qu'elle n'ait pu y monter.

Cheveux-longs regarde Émily en lui souriant.

« Il est vraiment plus grand que moi ! Top COOL ! »

En fait, on dirait un grand guerrier indien. Ou un homme de la jungle. Émily doit admettre que, même si elle n'aime pas vraiment le look « longue tignasse », ce garçon a des cheveux magnifiques. Noir corbeau.

« T'es mieux de pas me faire un coup de cochon, Pocahontas ! » se dit-elle.

Émily se place à son tour au centre de la scène. C'est elle qui devra réagir la première à la question de son partenaire.

« Je vais GAGNER ce concours, alors attachez vos tuques, les amis. »

Cheveux-longs s'avance vers elle en boitant.

— Pourquoi tu m'as jetée par terre, tantôt ? demande-t-il en prenant une petite voix nasillarde.

« Oh… mon… Dieu ! C'est une blague ? Cheveux-longs imite Amanda !!! »

Émily écarquille les yeux. Le garçon lui fait alors un clin d'œil.

— Excuse-moi ! répond-elle avant d'éclater de rire, incapable de se retenir.

L'imitation est si inattendue et surtout si drôle qu'Émily a du mal à retrouver son sérieux.

Alors qu'elle se prépare à demander la permission de recommencer l'exercice, elle réalise que madame Aubin applaudit.

— Bravo, Émily ! On aurait vraiment dit que ton rire était authentique.

« Qui… Que… Quoi ??? »

Cheveux-longs lui sourit d'un air complice.

« Il m'a vraiment fait rire volontairement, alors ! » se dit Émily, commençant à beaucoup aimer ce garçon qui semble tout droit sorti d'une tribu maya. Ne manque que le pagne, l'arc et le carquois.

— L'inverse maintenant, fait madame Aubin.

« Oh… mon… Dieu ! »

Dans son enthousiasme du début, Émily n'a pas pensé qu'il lui faudrait une idée de question.

« Une idée, s'il vous plaît… quelqu'un ! »

Elle s'avance vers son partenaire de jeu en priant pour que lui vienne une inspiration de dernière minute.

— Heu…

« Une idée ! Une idée ! »

— Qu'est-ce qui est arrivé à tes cheveux ? demande Émily.

« TOP POCHE QUESTION !!! »

— Quoi, mes cheveux ? AAAAAH !! Mes cheveux ! s'écrie son partenaire en prenant une longue mèche de ses cheveux noirs dans sa main. Ils sont longs !!! Comment ça se fait ???

Toute la salle rit.

— Bravo ! dit madame Aubin. Belle réaction. Quel est ton nom ?

— Nathan Pux, répond-il.

« Quoi ? Pux ? PUX ???? C'est un nom de famille, ça ??? »

— Bravo, Nathan. Très drôle, très spontané.

— Merci.

— Tu aurais pu trouver une meilleure idée, Émily, j'en suis sûre, lance alors madame Aubin.

Émily retourne s'asseoir à côté de Kumba, avec un tournimini dans le ventre et une envie de pleurer grosse comme le Machu Pichu.

— Wow, trop drôle, l'imitation d'Amanda, glisse Kumba à l'oreille d'Émily pour la réconforter. Il a dû voir ce qui est arrivé tantôt, lui!

— J'étais crampée pour vrai!!! avoue Émily. C'est qui, ce gars-là!?

— Très cool de sa part, en tout cas. Tu lui en dois une.

— Ouais, si jamais je reste plus qu'un avant-midi.

Kumba regarde Émily d'un air désolé. Cette dernière cherche Nathan des yeux. Il lui fait un petit signe en guise de salut. Elle lui répond d'un geste de la main.

— On dîne avec lui, tantôt? demande Émily à Kumba.

— Ok. Avec lui ET Jérémie! Je veux que tu me le présentes, oublie pas.

« Prout, c'est vrai! »

— Oui… avec Jérémie.

« Ouais… Vraiment, super matinée », soupire-t-elle.

39.

— Tu es de la Côte-Nord ? C'est où, ça ? demande Émily en mordant dans sa pizza arménienne.

— Ben, c'est la rive nord du fleuve, répond Nathan. Je viens d'une petite place appelée Longue-Pointe-de-Mingan.

— Et Pux, c'est un nom de là-bas ?

— Non, dit-il en riant. C'est un nom français. Et c'est pas un nom très répandu. C'est le nom de ma mère, en fait.

— T'es un Français de la Côte-Nord.

— C'est ça.

— Mais t'as pas l'accent français…

— Presque pas, non.

— Et pourquoi tu portes le nom de famille de ta mère ? l'interroge Kumba.

— C'est compliqué, se contente de répondre Nathan.

Émily, Kumba et Nathan mangent à l'une des tables installées dans la grande salle pour l'heure du dîner. Émily savoure le plat que lui a préparé madame Alvez, la cuisinière, ce matin.

— En tout cas, t'étais vraiment drôle, tantôt, dit Kumba à Nathan.

— Merci! Mais c'était plutôt facile. Tout le monde me parle toujours de mes cheveux…

— Elle veut parler de ton imitation d'Amanda, précise Émily.

— Oh ça! fait Nathan. Je la connais, Amanda. On a participé à un concours amateur ensemble l'année passée dans la région. Et puis… j'étais dans l'équipe juste à côté de vous quand vous êtes tombées tantôt. J'ai deviné ce qui s'était passé.

— Ah oui?

— C'était sa faute, hein?

— OUI! s'écrie Émily. Elle ne m'a pas rattrapée!

— Cette fille, c'est une vraie plaie, poursuit Nathan. C'est sûr qu'elle va être choisie parmi les quinze finalistes.

— Pourquoi? demande Kumba. Elle devrait être éliminée, au contraire!

— Oh non. Elle charme tout le monde parce qu'elle s'arrange toujours pour avoir l'attention. C'est d'ailleurs elle qui a gagné le concours amateur dont je parlais. Et pourtant, elle n'a pas une voix si extraordinaire. Vous allez voir, elle se met toutes les filles à dos, mais elle est très populaire avec les garçons. Et le public l'adore.

— Il faut dire qu'elle est jolie, dit Kumba.

— Dans le genre sac d'os, oui, réplique Nathan.

— Hahahahahaha! C'est vrai qu'elle est un peu maigre.

— On l'appelait Gemma Ward ce matin avant de savoir son nom.

— C'est vrai qu'elle lui ressemble, approuve Nathan. Mais sa beauté physique cache une vraie sangsue.

— Hé, Émily, Jérémie est là-bas! Va le chercher, implore Kumba en interrompant la conversation.

— Ok, répond Émily.

« J'espère qu'il ne m'en veut plus pour la file! » se dit-elle en se dirigeant vers lui.

Jérémie tourne en rond, cherchant visiblement un endroit pour s'asseoir et ouvrir son sac de lunch.

— Salut, Jérémie! lance Émily.

— Hé! Salut, Nik. Dis donc, comment t'es habillée?

— Oh, je… j'avais plus de vêtements propres…

— Je vois ça ! T'es tellement *cute* quand tu veux, c'est dommage.

« DE QUOI ! ? »

— En tout cas, bravo pour ce matin, lui dit-elle. T'étais super bon, comme d'habitude.

— Merci, répond Jérémie en souriant.

« Tu pourrais me renvoyer le compliment ! »

Mais Jérémie n'ajoute rien.

— Heu… est-ce que tu veux te joindre à nous pour manger ?

— C'est gentil, mais j'ai dit à Amanda Ellis que j'allais manger avec elle, fait-il en regardant partout autour de lui.

Émily remarque que Jérémie prononce le nom d'Amanda avec un accent anglais. Comme Nathan.

« Jérémie doit déjà avoir sympathisé avec elle pour savoir que son nom se prononce Amannnn-da. »

— Oh ! lâche-t-elle, déçue.

« Crotte crotte crotte crotte… »

— Mais vous pouvez venir tous les deux, s'entend-elle proposer. Il y a de la place à notre table.

« Je veux vraiment que tu rencontres Kumba ! » complète Émily pour elle-même.

— Ok, vous êtes où ?

— La table à droite, là-bas !

— Je trouve Amanda et on vous y rejoint.

« Youpi ! »

Émily revient vers la table où Kumba et le géant Nathan sont assis.

— Il s'en vient, dit-elle à Kumba.

— COOL ! s'exclame celle-ci, tout excitée.

« Oh, si ça pouvait marcher ! ! »

— Nathan était en train de me dire qu'il n'y a pas de magasins de vêtements dans son village, poursuit Kumba. Capoté, hein ?

— Comment ça, pas de magasins ?

— Ben, c'est un petit village. On n'a pas de supermarchés non plus, explique Nathan.

— Comment vous faites alors ?

— Ben, on va à la petite épicerie, répond-il en riant. Sinon, on va au Hâvre à côté, c'est pas trop loin.

— Wow…

— Salut, dit Jérémie qui arrive à leur table, suivi de près par Amanda.

— Oh, salut ! fait Kumba en tendant la main. Je m'appelle Kumba.

— Et moi, Jérémie.

— Salut !

— Bonjour, Amanda, lance Nathan.

Mais Amanda ne lui répond pas et s'assoit en faisant la moue.

— Je te connais, toi, dit alors Nathan à Jérémie. Tu es le gars de la pub, non ?

— Oui, répond Jérémie sans même prendre la peine de le regarder.

« Finalement, Amanda et lui vont très bien ensemble ! »

— Vous avez la télé, alors, chez toi, dit Kumba.

— Ben là, oui, franchement, fait Nathan dans un éclat de rire. On habite dans des maisons aussi. Pis on a l'eau courante !

— Hahahahahaha ! Scuse, je voulais pas te vexer !

— Alors, Jérémie, comment tu trouves la journée jusqu'à maintenant ? demande Émily.

— C'est cool. On en parlait, justement, Amanda et moi.

— Madame Aubin est super, ajoute Amanda en minaudant.

« Wow ! Amanda a une langue et elle peut parler sans pleurnicher ? »

— Ouais, je suis assez impressionné de l'avoir comme prof, enchaîne Jérémie.

— Ah, tu la connaissais, toi ? l'interroge Émily.

— Ben oui, répond Amanda à sa place. C'est une metteure en scène super célèbre. Tout le monde la connaît.

« Poil au mollet. »

— Je la connaissais pas, moi non plus, avoue Kumba.

— Eh ben, lâche Amanda en accentuant son haussement de sourcils.

« Attention, tes sourcils vont se décrocher de ton front ! » pense Émily.

— Nik était la chanteuse de mon *band*, dit Jérémie à Amanda.

— Nik ? demande Kumba.

— Oh, Nikki, c'est mon nom de scène, répond Émily.

— Ton nom de scène ? lance Amanda en s'étouffant avec son jus. Hahahahahaha ! Tu as un nom de scène ? répète-t-elle d'un ton moqueur.

— Ben… heu… oui…

— Cool, fait Nathan.

— Ça vient d'une blague en fait[3], précise Jérémie.

— Au départ, oui, mais ensuite c'est vraiment devenu un nom de scène, réplique Émily qui sent son nez devenir rouge comme une framboise sauvage.

— On était super bons ensemble, affirme Jérémie en regardant Émily.

« Bon, enfin un compliment. Merci ! »

— Pourquoi vous ne jouez plus dans le même *band* ? demande Nathan.

— Oh, heu, hum…, marmonne Émily.

....

3   *Voir tome 1, Le rêve d'Émily.*

Jérémie la regarde avec un sourire taquin.

— Disons que j'ai rendu son petit ami jaloux…, finit-il par dire avec une pointe de fierté.

« De quoi ? »

— T'as un chum, Émily ? lance Kumba.

« Oh… mon… Dieu ! »

— C'est pas vraiment…, tente de répondre Émily.

— Oh, tu as séduit Émily ? susurre Amanda à Jérémie. Eh bien, je peux comprendre, tu sais. Moi aussi, je serais facilement séduite…

Jérémie sourit.

Kumba regarde Émily, l'air de dire « je ne comprends plus rien ». Nathan baisse la tête pour ne pas montrer qu'il a envie de rire. Amanda bat des cils, et Jérémie mord dans son sandwich en faisant les yeux doux à Émily.

« Non mais, pour qui il se prend, lui, pour draguer deux personnes en même temps ? ! ! ! »

— Et… heu… c'était quoi, ce concours dont tu parlais tout à l'heure, Nathan ? demande-t-elle pour se sortir de cette situation catastrophique.

— Le Festival francophone.

— Ah ouais, t'as fait le Fest, *man* ? dit Jérémie, soudainement intéressé.

— Yep.

— Et tu t'es rendu loin ? lance Kumba.

— C'était merdique, ce festival, lâche Amanda.

— Mais tu l'as gagné ! s'exclame Émily.

— Ouais, c'est sûr, fait Amanda en remballant son lunch, auquel elle n'a pratiquement pas touché.

— T'as gagné le premier prix au Festival francophone ? l'interroge Jérémie en écarquillant les yeux.

— Ouais, répond-elle en lui adressant un sourire tout en passant sa main dans ses cheveux fins comme de la paille.

— Cool…

Kumba plisse le nez.

— Allez, tout le monde, rangez tout, on recommence l'atelier, annonce madame Aubin.

« Ouf, il était plus que temps… » se dit Émily.

Opération Jérémie-Kumba : ratée.

40.

— Mademoiselle Émily Faubert, dit madame Aubin dans le micro.

Émily se lève et monte sur la scène. Elle sent tout son corps palpiter. C'est la dernière étape de cette journée monstrueuse, et elle est certaine, cette fois, qu'elle pourra enfin tourner la situation en sa faveur.

— Je vais chanter *California King Bed* de Rihanna.

— Tu sais qu'il faut chanter a capella ? demande madame Aubin, surprise.

« Oui, je suis pas complètement idiote, je suis environ la trentième à passer sur cinquante ! ! ! » pense Émily en regardant les leggings affreux de l'animatrice de l'atelier.

— Oui, je sais. Mais c'est ça que je vais chanter.

« C'est ma force, le chant a capella, alors tu vas voir ce que tu vas voir ! » a-t-elle envie de hurler.

— D'accord.

Émily s'approche du micro. Les trois autres juges, ceux qu'elle a vus à l'audition, sont assis dans la salle avec tous les concurrents. C'est le moment ou jamais.

Non seulement elle va montrer à tous les autres qu'elle est une chanteuse exceptionnelle, mais elle va aussi en mettre plein la vue aux juges qui n'auront d'autre choix que de la garder malgré son pantalon de jogging, malgré l'accident d'Amanda et malgré son manque d'inspiration dans sa scène avec Nathan.

Émily inspire profondément et commence sa chanson. Elle sait que sa voix est parfaitement placée. Les élans sont dosés, l'émotion à fleur de voix, les trémolos discrets, juste comme madame Gentilly les aime.

« Vive madame Gentilly », se dit-elle.

Elle sent que la salle est captivée par son chant.

C'est alors que survient l'Apocalypse.

Sous la forme d'une alarme de feu.

— Wiiiiiiiiiiiiiiiiiiiiiiiiiiiiiiiiiiiiiiiiiiiiiiiiiiiiiiiiiiiiiiii iiiiiiii !

— Que personne ne bouge, crie madame Aubin dans le micro d'Émily après l'avoir poussée. Ce n'est pas un feu, c'est un défaut dans le système, ça arrive parfois. Restez calmes et à vos places, ça va s'arrêter tout seul.

« C'est certainement une blague, songe Émily. Il y a des caméras cachées dans les projecteurs du plafond ! Il faudra que je pense à m'esclaffer quand on va me dire que c'est un gag !

« Ça y est, l'alarme vient d'arrêter. Quand est-ce que je ris ? »

Mais madame Aubin ne dit pas : « BLAGUE ! »

Elle dit plutôt :

— Désolée, Émily.

« DÉSOLÉE ? »

— Je sais que tu étais presque à la fin, mais est-ce que tu préfères recommencer quand même ta chanson ?

« DE QUOI ? Chanter deux fois la même chanson de suite ? Heu… top cruche ? »

— Non, ça va aller, répond Émily, en se disant que même la mort doit être plus agréable que de se tenir sur cette scène, devant tout le monde, dans son pantalon de jogging bouffant, à côté d'un micro qui ne sert plus à rien.

— Merci, Émily. C'était vraiment très bien.

Émily redescend dans la salle silencieuse. Forcément, il y a eu une ALARME entre sa prestation et son retour dans la salle. Il n'y a donc pas d'applaudissements. Il faudrait que madame Aubin dise : « On l'applaudit ! », ce que, dans son énervement d'alarme, elle n'a pas pensé à faire.

« Je veux m'enfuir d'ici MAINTENANT ! » se dit Émily.

— Ok. On reprend, lance madame Aubin dans le micro. Mademoiselle Amanda Ellis ?

Amanda grimpe sur la scène, agile comme un petit chaton. Émily l'entend dire dans le micro, de sa voix bien particulière :

— Je vais chanter *California King Bed* de Rihanna.

« PARDON ? »

Mais Émily a bien entendu, et Amanda commence la chanson de sa drôle de voix. Elle chante comme une petite fille de quatre ans et quart alors qu'elle doit avoir environ quinze ans.

« Hahahahahaha, top nulle. »

Or, Amanda se met à pleurer en chantant. Sa petite voix se teinte de chagrin et les larmes roulent sur ses joues. On pourrait entendre une mouche voler dans l'amphithéâtre, si ce n'étaient les reniflements de plusieurs personnes émues dans la salle.

« Quoi ? Des gens pleurent ??? »

Amanda termine la chanson en sanglotant. Puis elle prend le micro à deux mains comme si c'était une fleur et bredouille :

— Excusez-moi, mais c'était la chanson préférée de ma maman et elle est décédée.

«Oh… mon… Dieu!

«Comment je peux rivaliser avec ça???

«Oh… mon… Dieu!

«Sa mère est morte et, moi, je pense au concours!

«Top poche.»

Émily regarde Kumba qui a joint ses mains en signe de compassion. Nathan se penche alors vers les deux adolescentes.

— Ce n'est pas vrai, sa mère n'est pas morte du tout, chuchote-t-il. Elle a déjà fait le coup ailleurs.

— QUOI???

Mais, sur la scène, madame Aubin serre Amanda Ellis très fort dans ses bras, et tout le monde applaudit chaleureusement. Émily regarde, paniquée, la salle en liesse.

«Avec MON choix de chanson!»

Émily sent que le monde vient d'entrer en guerre autour d'elle. Et qu'elle doit courir parmi les bombes.

41.

— Elle a certainement fait exprès, le boaa-
manda! crie Émily qui ramasse ses affaires et
les fourre pêle-mêle dans son sac.

Elle sait très bien, au fond, que c'est ab-
surde et qu'Amanda ne pouvait pas deviner
qu'Émily chanterait *California King Bed*.
N'empêche, elle est hors d'elle.

— Mais ta version était super aussi! dit
Kumba pour la consoler.

— Oui, mais moi, j'ai pas pleuré pendant!
Tsé!

— Mais c'est pas nécessairement mieux
de pleurer pendant qu'on chante!!!

— Mais c'était un atelier sur l'émotion!!!

— Ouais, mais…

Émily a livré une prestation excellente
avant que la satanée alarme de feu se déclenche.
Elle aurait eu une ovation. Elle le sait.

— J'en reviens pas qu'elle ait fait ça ! lance Émily en faisant des efforts pour ravaler ses larmes.

— Moi non plus.

— Est-ce qu'il y a des moments où elle ne pleure pas, elle ! ? Elle pleure quand elle tombe, elle pleure quand elle chante…

— Pleure pas, Émily…

— C'est tout à l'heure qu'il fallait que je pleure !!! crie Émily en essuyant rageusement ses joues mouillées. Pas maintenant !!!

Émily est tellement enragée qu'elle n'a voulu dire au revoir à personne. Nathan n'a pas insisté. Quant à Jérémie, elle ne l'a pas revu. Seule Kumba a tenu à la suivre jusqu'aux vestiaires.

— Je pense que je reviendrai pas demain, dit Émily en fixant son amie.

— Quoi ???

— C'est pas pour moi, cet univers-là. Il faut mentir, il faut faire des coups bas, je suis pas comme ça, moi. Regarde ! J'ai même pas compris qu'il fallait être sexy ! lance-t-elle en sanglotant. J'ai mis un pantalon de jogging pour être confortable ! Même toi, tu t'es habillée sexy ! Je suis trop nounoune, moi, pour ces affaires-là. J'ai pas envie de revenir, pas envie de me battre de cette façon-là. Je suis une chanteuse, moi. Pas un boa.

Émily pousse la porte principale en se disant qu'elle ne reviendra pas. Son oncle avait raison. C'est trop dur.

— Hé! Qu'est-ce que tu fais là, toi? s'exclame Kumba en se dirigeant vers la rue et en riant de son beau rire saccadé.

«Pourquoi elle rit comme ça alors que je suis en train de me liquéfier?... Non! se dit soudain Émily qui suit Kumba en regardant ses pieds. Il est pas venu jusqu'ici, quand même!?»

Elle lève alors les yeux avec appréhension.

«Oui!

«Oh... mon... Dieu!

«Oui!»

— Alors, comment c'était? lance William, appuyé sur une borne-fontaine.

«Il est venu jusqu'ici!!»

— Eh bien, heu..., répond Kumba.

— Oh, soupire Émily en se disant qu'elle n'a même plus la force de se battre pour dissimuler son chagrin.

«Il est venu jusqu'ici, à l'autre bout de la ville, pour qui?»

— T'as mis du blues dans tout ça, *sister*? demande William à Kumba.

«*Sister*? Oh... mon... Dieu. Il lui a donné un petit nom! Et il fallait que je sois témoin de ça AUJOURD'HUI!» songe Émily en sentant le monde se refermer sur elle.

— J'ai essayé, Will, dit Kumba. Mais il y avait une adversaire de taille.

— J'en doute pas, fait William en fixant son regard vert sur Émily.

— Merde! Mon parapluie est à l'intérieur! s'écrie alors Kumba. Vous m'attendez?

— Oui.

Émily s'approche de William en se sentant comme la pire des rejets de tout l'univers.

— C'est par Kumba que tu as eu l'adresse? lance-t-elle.

— Nan. J'ai trouvé par moi-même, répond-il.

— Ah.

— T'aurais préféré que je vienne pas?

— Non, non. C'est juste… c'était pas super comme journée, avoue-t-elle en baissant ses yeux bouffis.

C'est alors que William ouvre son sac à dos et en sort une fleur toute fripée.

— Elle non plus, elle n'a pas eu une super journée, dit-il.

— Qu'est-ce que c'est? demande Émily en regardant la rose abîmée.

— Ben… j'ai pensé t'apporter une fleur, mais quand j'ai vu que tu sortais en même temps que Kumba, je me suis vraiment trouvé con de pas y avoir pensé.

— Pensé à quoi? fait Émily qui sent son nez s'enflammer dangereusement.

— Que vous seriez ensemble! répond-il. Alors, pour pas vexer Kumba, j'ai lancé la fleur dans mon sac. Et là, ben…

Émily regarde William.

— C'est pour moi?

— Écoute, je suis idiot, je sais, je vais t'en acheter une autre, c'est juste que…

Mais Émily saute dans les bras de William en tremblant.

Et aucun pantalon de jogging…

Aucune Amanda…

Aucun Jérémie…

Aucune sirène d'alarme…

… ne parvient, cette fois, à gâcher ça.

Merci, Virginie. Vive Kanye West !

Merci à toute l'équipe des Intouchables pour avoir été si compréhensive alors que j'étais dépassée par la somme de travail. Sachez que je vous en suis reconnaissante.

Merci, Michel, pour ton soutien et ton respect.
Merci à Murielle Flynn pour les encouragements répétés.

Merci enfin à ma lectrice de la première heure, Marie-Christine Lavallée, pour son apport indéfectible.